死刑執行中脱獄進行中

短編集

荒木飛呂彦

集英社文庫

Contents

被告は起立してください！
判決文を読み上げますッ！
カタ
カタ

『死刑』!
27

オレは無実だあ――ッ無実なんだァ――ッ
ドッギャーン

オレは何もやってねーーーッーー！
なにかの間違いなんだーーッ！
オレは囚人27号 罪人の誰もがこんなとき叫ぶようにとりあえず形式どおり「無実」だって叫んでいるだけさ
オレのこのセリフはウソさ…
でもよ…オレはウソをつくかもしれないがウソをつかれるのは大嫌いだ

あん時もそうさ オレのアパートの部屋の 万年床の前で ズボンをはいてると ケツのポケットの財布に 万札が一枚たりないのに 気づいた
便所に入ってた女は―― ――（ハタチだと年齢ごまかしてた女だけど） ――「知らない」と スっとぼけやがった
オレの財布から カネを盗ったのは ゆるす―― オレもガキの頃 よく母親のサイフから 金をくすねたもん だからな
しかし スっとぼけたのは ゆるさない だから灰皿で 17発殴ってやったのさ 16のガキのくせに オレをだまそうとしやがって ……………
いや… 灰皿で16発 ガキの年齢が 17だったかな ……
ま…とにかく ウソをつくってのは 人を見下した行為だ！ 何様のつもりだ だから脳ミソをテレビのブラウン管に ぶちまけることになったんだ ボケ女め！
！
なんか……
……
？
妙に…
暗いな… この牢獄
奥の方が… まっ暗で… なんにも見え ねえ………

……
おっ
電燈のスイッチがあるぞ
妙な監獄だな！囚人に電気のスイッチが勝手にいじれるようになってていいのか？
ス……
……
パチン
ザワ
ザワ
ザワ
ザワ

ザワ！！
ザワ！！
サワ！！
えっ？
あっ
ズボ
ボゴ
ぎゃああ――ッ
イッ！痛ッ！

あっ！
蜂だッ！
蜂の巣だッ！
なんでスイッチのところに蜂の巣があるんだッ！!?!?
おい！看守来てくれーッ！ここに蜂がいるぞーッ！
刺されちまったぞ―――ッ
バカヤローッ なんとかしてくれーッ
腫れて来たよッ！チクショーッ
え？
……
……

お…おい
……
?
ゴゴゴゴゴ
ゴゴゴゴゴゴゴ
なんだ?
ここは?

これが牢獄か……?
?
高級マンションじゃあねーのか?
窓がないだけでシャバで住んでたアパートよりぜんぜんいいぞこりゃあー
ウォシュレットだよ〜〜〜
おい看守ッ!
来いっつってんの聞こえねーのか!? さっさと来いボケェッ!

…………
しかし…………
メシはとっても刑務所らしいしみったれたメニューだな…
魚のフライにスープにパンかよ
ケッ
…………
ま…………
食えねー味じゃあないようだし
そういや腹もすいたな
食ってやるか…
27
ザバ
ズーーッ
ザバババ
ジャボ
ジャボ
ジャボ
ん……
……
……？

なめてんのかァ〜〜〜〜〜！
このスプーン 穴があいてるし 先っちょが丸まってて 使えねーじゃあねーかよォ――
くそっ
しょうが ねーな…
ドスッ ドスッ！
ゲッ！

オゴ
オゴ
ぎゃあああああ
あっ
バラッ

うっガァアアアッ
な……なんだアーッ
この「牢獄」は!?おかしいぞッ!
チクショオ――魚の骨に細工なんかしやがってッ! イスもブッ壊れるように切れ目を入れてたな
あの蜂もワザと入れてたんだなッ!
さっきから看守も呼んでいるのに ちっとも来やしねえッ!

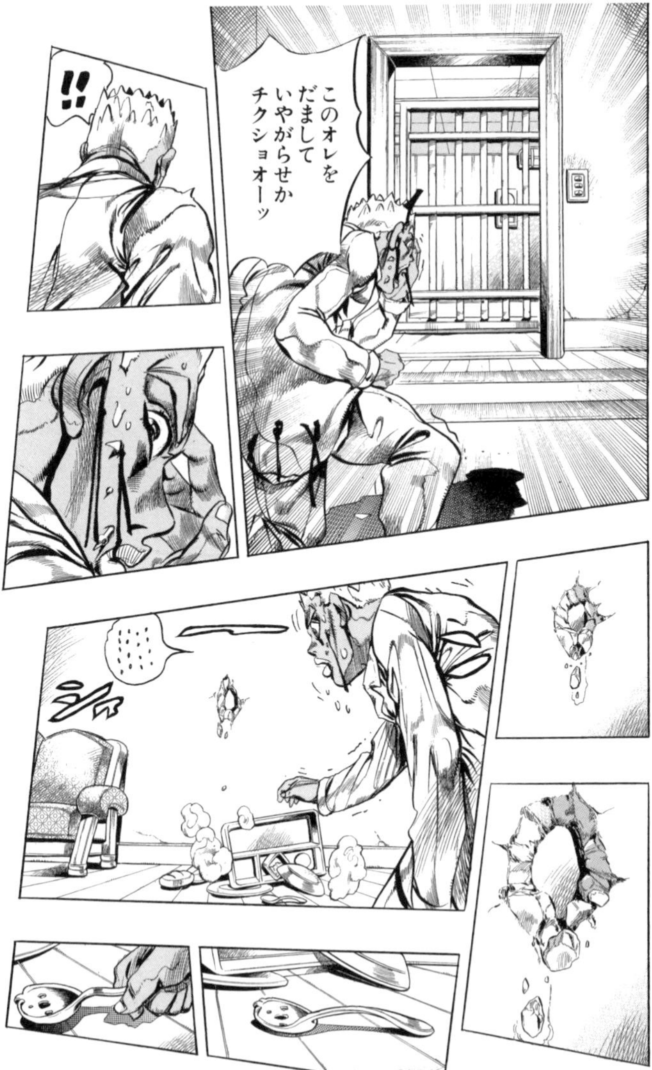
このオレを
だましていやがらせか
チクショオーッ
!!

ボロッ
こ……ここの壁……
ここのところだけ
……
しめってて柔らかいぞ
掘れるッ！どんどん掘れるぞッ！
やってやるッ！
やってやるチャンスだッ！
この監獄出れるぞ！

くっそーッ
ここを脱獄
してやるぞッ
！
！
おあああ
おあ!?
おあ!?
おああ
〜〜〜!?

ボドッ
え？
え？
27

ぎィやあ
あああ
あああ
か…壁の中に
ひき肉ミンチマシーン
がッ！
オレの手が！
オレの指がァ
アアア!!
うぎゃああ
あああッ!!
オ…オレを
だまし
やがったなッ！
こ…この部屋は
牢屋じゃあねえッ！
監獄なんか
じゃあねえッ！

ここは『処刑室』だッ！
ちくしょぉおおおお――――ッ！
はぐっ
はぐっ
……
！

!
ビダァーッ
う
ううっ
??
な…
なんだ!?
この部屋の
床の釘はッ!?
チョコっとだけ「釘」の
頭が出ていて もがけば
もがくほど どんどん
からんでくるぞ
ドドド
ジュー
ジュー
ジュー
ぐああああ
うおおお
おおっ!!
『酸』だ!
釘穴から『酸』が
出ているッ!
ドバドバ
このまま!
オレを処刑する
つもりかッ!
ドシュ
ドシュ

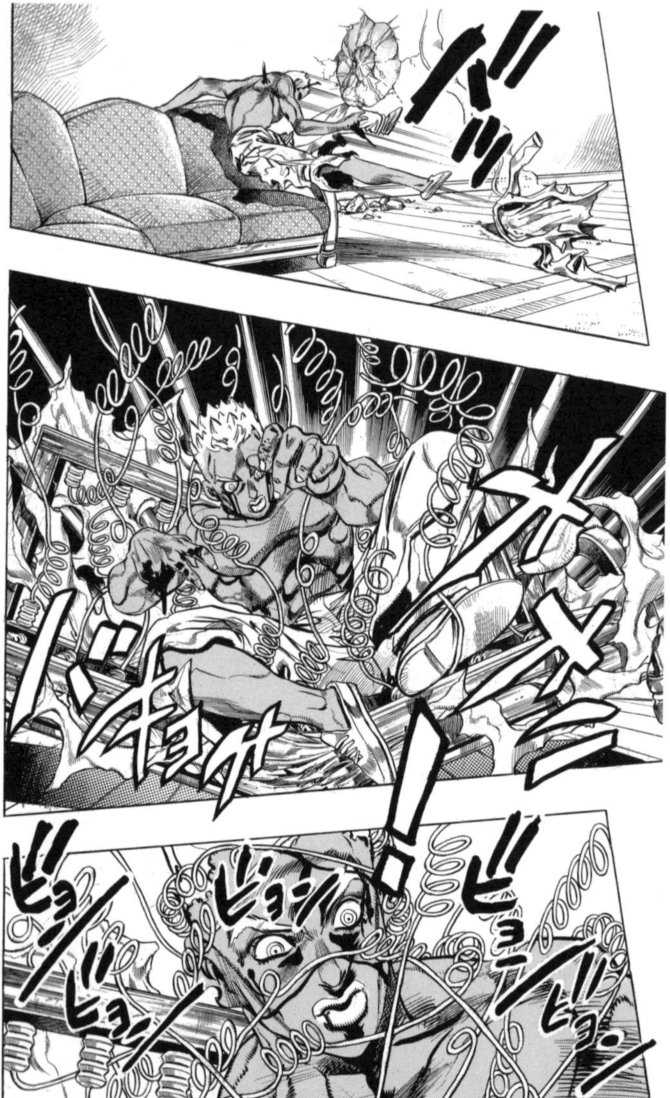
バッ
バギョオ
ビョン
ビョン
ビョン
ビョン
ビョン

ガラシイーーン
こっ この『ソファー』までもッ！
チュー
チュー
チュー
……
チュー
チュー
チュー
仕掛けがッ！

ネズミだ
ネズミがソファーの下にいたのかなんか引っぱっているぞ…「干し肉」か
ひもにくくられた「干し肉」をひっぱっているのか
なにイッ！ちょっーー!!
ヴィ
ヴィイッ
ヴィイッ
ON
OFF
ON
パチッ
パチッ
OFF

ちょっと待てッ!この『ソファー』は!!

うわああああああ『電流』が流れる仕掛けだッ！
ドドドド
うおおおおおお
ドドドドドド
早く
早く脱出しないとッ！
ドドドドド
おおおおおおおおおおっ

間に合わないぞ
はっ！そうだ!!
オ…オレの
「右手」
わあああああっ
ブチ
ブチン
！
！

チュ
チュ
チュ
やった！干し肉を引っぱるネズミの数が減ったぞ！
い…今のうちだ！脱出できる!!

チュー
チュー
チュー
ハァハァハァハァ
ゴゴゴ
ゴゴゴ
ハァハァハァハァ

光だ……
ハアハアハア
ゴゴゴゴ
外の光だ!
さっき この指をミンチにした穴が「穴」が今の爆発で でっかくなってるぞ
ここの「壁」だ ここの壁はやわらかい!
この穴をもっと広げれば……

パァアアァ
やった！開けたぞ！
外だぞ
外に出れるぞッ！
オレは勝ったッ！

だが……
オレは…人をだますかもしれないがだまされるのは大嫌いだ
オレを「処刑」しようとしているヤツらめ…もー てめーらのたりねえオツムにひっかかるもんかよ
この穴にオレが大喜びで首をつっこんで外に出ようとしたとたん
ギロチンの刃がストーン！
そんなこったろう！だまされねーぜボケナスどもめ…
でも 冬が終わってポカポカ陽気で畑に菜の花が咲きみだれて蝶なんかが飛んでるのを「穴」から見られる日には
おもいきって外に出てみようかな？どうしようかな？なあ――んて思うときもある

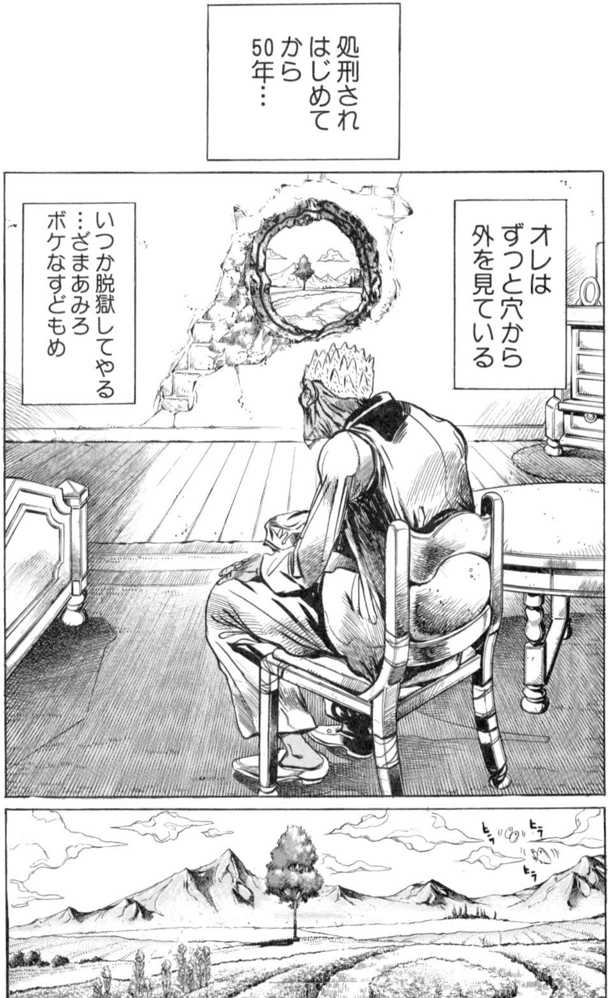
処刑されはじめてから50年…
オレはずっと穴から外を見ている
いつか脱獄してやる…ざまあみろボケなすどもめ
ヒラ
ヒラ
ヒラ

Under Execution, Under Jailbreak

The End.

あとがき（99年11月／単行本からの再録です）

荒木飛呂彦

『ゴージャス☆アイリン』という初短編集が出たのが一九八七年だから、本タイトルが実に十二年ぶりの短編集という事になる。しかも二冊目。

なぜ自分は短編をあまり描かないのか？　答えはアイデアを連載長編の方に使っちゃうからだ。長編の方には愛すべき主人公がいるし、読者も短編よりは長編の方が魅力を感じてくれている。長編も短編もストーリーを0から作り上げていくのは同じ労力でも、短編は数十ページで終わりにしなくてはならない。だから、短編向きの良いアイデアがあってもつい長編の方に使ってしまう。

本書に集まった作品は、偶然に作られた編集者と漫画家の友情の結晶である。

「短編、描いてよ」

っていう編集部の依頼がきっかけで、長編からはみ出ていたアイデアを、

「ンじゃ、これ短編に使おう」

って感じでふくらましていくので、自分としては運命的なものを感じてしまう。そして、十二年に一冊という事で、ますますその思いが各作品に深く入っていってしまう。

『死刑執行中　脱獄進行中』

（スーパージャンプ　95年2号掲載）

短編と長編の違いって、何なのだろうか？　読者にとっては「そんなの、どうでもいいじゃん」って感じかもしれないけど、描く方にとっては違いを理解してないとヤバイ道に踏み込んでしまうかもしれない。ちょっと考えてみよう。どんな短編のタイプがあるのか？

Ａ登場人物の行動や思いをひたすら追いまとめた作品。

Ｂほんの短い時間の出来事を切り取って、そこに人生やテーマを閃光のように象徴させる作品。

Ｃナンセンスやサスペンス、ムード、デザイン、エロ、グロ。それぞれのものを描くのを目的とした作品。

Ｄ日記やエッセイ、手紙。

他にあるかな？　あとはＡＢＣＤそれぞれの複合的作品。こう考えると、短編と長編の違いは？　あんまり差はないように思える。

単に短い作品が短編で、長いのが長編。やっぱり、

「どーでもいいじゃん」

って結論に荒木飛呂彦も落ちついた。そーゆー理由で『死刑執行中脱獄進行中』は三十数ページという依頼ページで、死刑と脱獄を同時にさせるというアイデアから思いついた、ひたすらサスペンスを描くために描いたサスペンス。監獄が奇妙で、ここを作ったヤツらの姿は登場しないけど、不気味な存在がある所が好き。（作品タイプで言うとＣ）

ドルチ

～ダイ・ハード・ザ・キャット～

A wrecked yacht in the midst of the ocean -
This odd and extreme situation has started to deprive a man and his cat of their sanity...

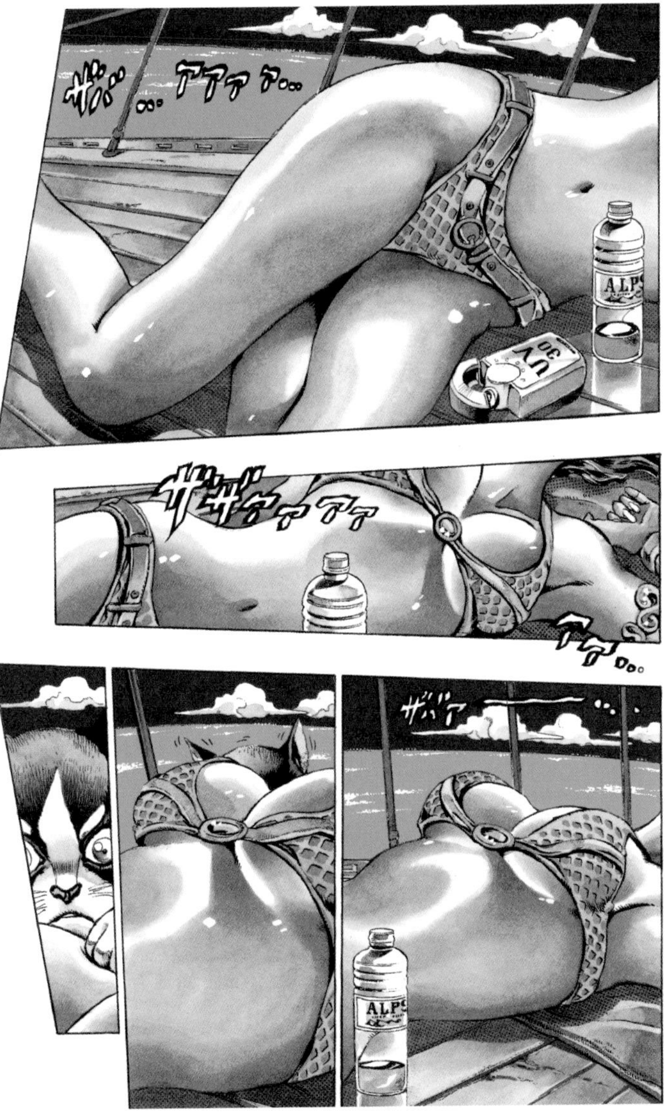
ザバ…アアァァ…
ALPS
ザザザァァアア
アァ…
ザバァーー…
ALPS

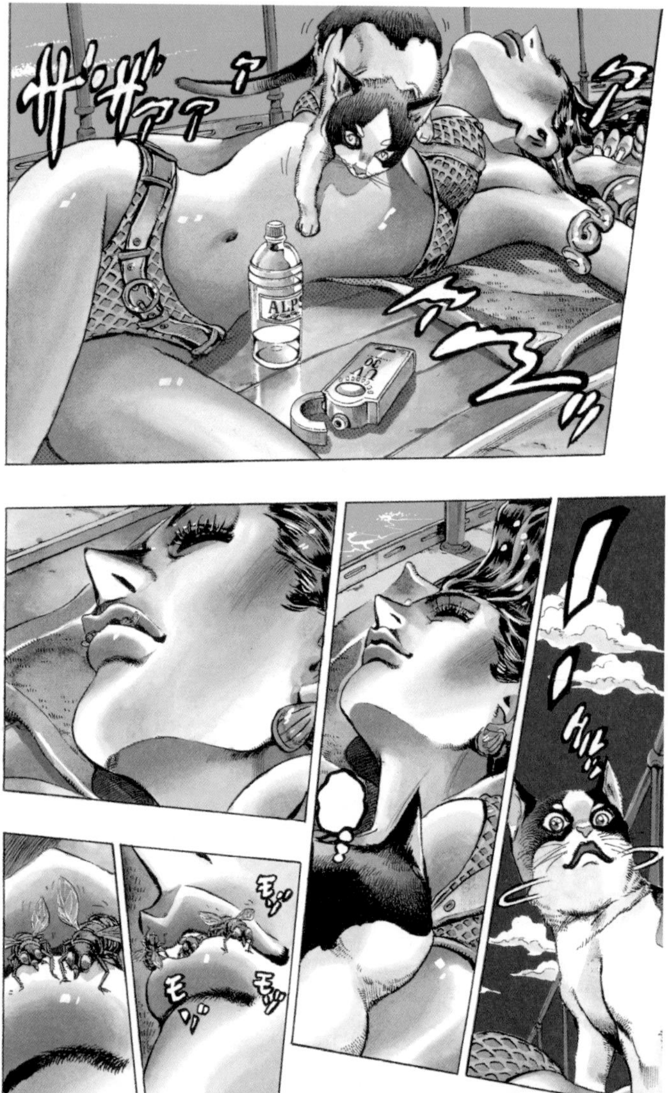
ザザアアァ
ハッ
モゾ
モゾ
モゾ

……

……
『ドルチ』(3)オス
ブリティッシュ バイカラー
ショートヘアーの雑種

アア〜アアァァ
ドドド

ザバァァァ
ドドドドドドド

ALPS
ハァァ
クンクン
クンクン
クンクン
ハァア
ALPS
Natural Mine
クンクン
クンクン
クンクン
ALPS
ガリ
ガリ
ガリ
ガリ
ガリ
!
ハアー
ハアーハア
ハアー
ハァ
ハァ
ハァ
ハァ
ハァ
ハァ
ハァ
ニュッ
ニュッ
ニュッ

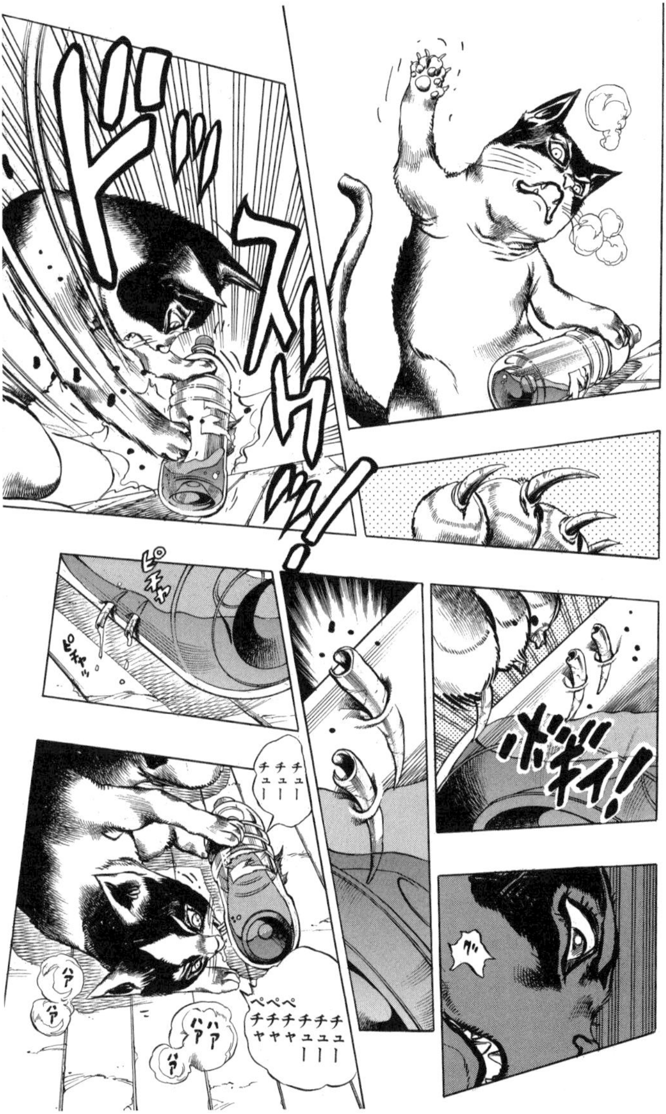
ドッ
ズゥッ！
ピチャ
ピチャッ
ボギィ！
チュー チュー チュー
ペペペチチチチチャヤヤユユ｜｜｜
ハア ハア
ハア ハア
グ

……
うう
しくしく しくしく
しく しく
ううう
ぼ…… ぼくのせい じゃあない
どう しよう
しくしくしくしく……
ぼくが…… 悪いんじゃあ ないんだ
うう…… しくしくしくしく
彼女が溺れちまったのは ぼくが悪いんじゃあ ないんだ……

別に乗せたかった わけでもないのに…… あの女のほうから 「あたしをヨットに 招待して」って 言い寄ってきたからだ
甲板で服を ぬぎ始めたのも あの女がかってに やったことだ〜……
ぼくの注意を そらした からだ
あの女のせいで ヨットが暗礁に 激突しち まったんだ ……
おかげで無線機も 濡れちまった なおるかな〜〜〜 もう 6日もたつけど なおるかな〜
愛子《あやし》 雅吾《まさご》(32)
職業:一級建築士
でも救助隊は 絶対この船を 探してくれるはずだ! 何か食い物を 持って来て くれるのかなぁ ああ〜〜〜〜
飛行機かヘリが とおれば 見えるよなあー 水を持って来て 見つけて くれるよな
ああ〜〜〜 どうしよう どうしよう どうしよう
母さんに なんて言おう

う……う……
う
う う……
……
ドルチ………
う……ううう
ああ〜！ドルチ
こんなことになっちまって言うのはなんだけど………
おまえを連れて来て本当に良かったと思ってるよ……ドルチ
感謝してる……おまえといると勇気がわいてくる彼女が溺れ死んで……5日も冷蔵庫がカラッポだってのに気がおかしくならないのはおまえがいるからだよ
おまえはぼくの親友だよドルチ

捨て猫のおまえと出会った時からずっとぼくの心のやすらぎだよ…………本当さ…
おまえとだったらこの状況をきりぬけていける気がするんだ
おまえはどうなんだい？
ぼくに拾われて幸せだったろ？いい人生を送ってきたかい？
…………
ん？
なんだってドルチ？
〃うん〃
〃良かったよ〃〃雅吾ォ〃
…………
そーかそーか！
か・わ・い・い・ヤ・ツ・だ・な・あ〜ッよ・し・よ・し・よ・し・よ・し
そうだ
さっきおまえがねむっている時
無線機があまりになおらないんでさ………ちょっぴりイラついたもんで
気をまぎらわすために………ちょっとしたものを作ったんだよ…………
おまえへのプレゼントだよもらってくれるかい？

そりゃあ食い物とかのほうが断然うれしいだろうけど
おまえのためにできることといったらこんなことぐらいでさ
ん――とっても似合うぞドルチ！
ベッドカバーを切って作ったんだブーツはあの女のバッグを使わせてもらったよ

……
ちょっとバカバカしいって思うかもしれないけどこんな時こそ楽しいことが必要だと思うんだ
「長グツをはいた猫」はな…………貧乏な飼い主のために王様にコネをつけて王女様と結婚させてくれるんだぞ
とてもカッコイイぞ ドルチ！勇気がわいてくるほどカッコイイ！
それに救助隊がおまえを見たらみんな絶対 おまえをうらやましがるぞッ！

……
……
クン
クン
……
……？
candy
クン
クン
なっなに
ほじってんだい？
ドルチ
見せろッ!!

こ……
これはッ！
Candy
キャンディッ！
どこだ!?
どこにあった!?
ドルチッ！
ソファーのスキ間
かッ!?
バッ
ガッ
ガバ
もっ……
もっと！
もっと
ないかッ！
ドルチッ!!
ガバ
い……
一個だけだ!!
前にソファーの
スキ間に落ちて
まぎれ込んでたやつだ！
で…でも やったぞッ！
5日
ぶりの
食事だッ！
はっ

……
ま……まさか……「キャンディ」ほしいのか？ドルチ？
ね 猫のおまえがアメ玉なんて食わねーだろ？
……
……
ハァ ハァ ハァ

ゴ……
ゴクリ
こ…
これは出港前にぼくが落とした……
キャンディなん…だ………よ
ハァ
ハァ
ハァ
ハァ
ハァ
ハァ
パタン!
そ… そうか!
食いたいってのか
いいだろう… それじゃあ恨みっこなしで
『ダイス』で決めようかドルチ!
わかるか?? サイコロだ……
ころがすんだ…… 一回だけころがして大きい目を出した方がこの「キャンディ」を食べるんだ
ぼくと君…どっちが食べても友情は変わらない……
いいな?
カラ
カラ
ころがすぞ………
カラ
カラ

や……
やったッ！
見たなッ！
見たよなッ！
ドルチ！
11だッ！わかるか!?
これ！11ってんだッ！
11だぞッ！
ころがせよ
ドルチッ！
おまえの番だッ！
ころがし方
わかるかッ！
ぼくは11
だからなッ！

……
ま……まさかな……
い…今のサイコロふったつもりか？
おまえに数なんてわかるはずないものな…
お…
……
おまえより「体」がでかいんだッ！
か…「体」がでかいってことはそれだけエネルギーがいるってことなんだッ！
それだけいっぱいカロリーが必要だってことなんだッ！

あっッ!!

ボリボリ ボリ
ボリボリ ボリボリ ボリ
……
ボリボリ ボリ ボリ ボリ

ツプーッ
てめえッ！このドブ猫がッ！
吐き出させてやるッ！

ドドドドド
そのアメ玉は
オレが買ったんだッ！
オレが働いたカネで
買ったアメ玉だッ！
おまえを拾って育ててやった
恩を忘れやがって
このド畜生がッ！
ドブに捨ててあった
ブチ猫だから
ドブチって
名前
なんだよッ！
てめーはッ！

！
…………
…………
う
う・う・ま・い・

ベロベロ
うまいよォオオオオ
なんてエええベチャブチャグチャアァァ
すっげええええ
うめえよオオオオオオオ
～～～～～～こんなうまい「味」！
ペチャ
ドロ
ペチャア
ピチャチャ
はじめてだあああああああっ
はッ！
ザザザァー……

なんて名前だったっけ? 思い出せねえ…… アイ…だっけ…マイだったっけ?
い…いねーぞ…!?
あの女……?
たしか……
ここに…
あの「女」どこ行きやがったアアアア———ッ!?
ムウッ!
ザザザザ
ザザザザザ
ザザザザザ

ザザザザザ
サメ…
か
サメが
……彼女を持って行きやがったのか!?
うっ…
ううう
うううう〰〰う
ど…
どうしよおぉぉぉぇ
無線がなおらなかったら
彼女で『元気』つけようと思って……
溺れ死にさせて・・・
おいてたのにイイイイ
足の破片しか残ってねェェ
ェエエエ———ッ!!
ドルチ ダイ・ハード・ザ・キャット
後編につづく!!

Dolce, and His Master.

To be Continued...

タラ
タラ
たら
タラ
たら
タラ
……
……
い……

ドルチ
~ダイ・ハード・ザ・キャット~
イイ子だよなあ〰〰〰ドルチィ! おまえは本当にイイ子だァ〰〰〰!!
仲直りしようう よォ〜〜ッ
いつまでもそこにいると海に落っこちて彼女みたいに
サメに持ってかれちまうぞォーッ

ハァ ハァ ハァ
ハァ ハァ
ほら！
水だぞォ
ーーッ
ノド…
かわいてんだろォーッ
こっちきて飲めよォ
ーーッ
残りはこれだけ
なんだ…
こっち
来いよ
なっ！
うまいぞーッ
わけてやるから
さあああ
ーー
チキチキ
チチチ
ジリッ
ジリッ
……
ズズズ
ほっ ほらッ！
危ないぞッ！
ドルチッ！

いつまでもそこにいるわけにはいかないんだよ！おまえは猫だ……
ハァ
家にいる時はさぁ
1日16時間もねむっていたじゃあないか…だろ？すぐねむくなるぞッ！
ハァハァー
さあぁ〜っ！この水で仲直りのカンパイしようよォォォォ――なっ！
なあああんにもしないってばさぁあああ〜〜〜っ！
おりて来いよォォォォドルチィイイイ〜〜ッ！
ハァーハァー
ハァーハァー
うまぁいぞォ――ほらっ
うまいうまいピチャピチャピチャ水はうまあぁぁ〜〜い……
……
ペチャ
ハァーハァー

……
うっ
う…ううう うううおりて
きてくれよォオオオオ
か…彼女さえいれば…
うう ううう
プッ
彼女プリプリしてたのにィィィィ〜〜〜ッ
ううう 彼女さえいれば…なんの心配も……うう 救助隊が来るまで…
なんのなんのなんのなんの なんのなんのなんのなんの なんの心配もなかったのにィ〜〜っ 残ってたのはやせた足の指だけじゃあ腹いっぱいになんねえしよォ〜〜ッ
ううう
……
……
コキ
キッ

おりて来いって
いってんだよォ
このドブチィイイイ
イイイッ！
イイーーーーッ
ギャ
てめーのせい・だッ！
おまえなんかにかまって
いたから　彼女を持ってかれ
ちまったんだッ！
オレはエネルギーが
いるんだッ！
ギャ
ギャ
税金払ってんのに
いつ来んだよォォ
ーーーッ！
救助隊は
ちくしょおおおお
ーーーッ！
ギャ
ギャ
ギャ

トン!
!!

………
や……
やっぱりまずいィッ！
これ以上登ると
体重でマストが
海面にッ………!!
ザッバァァァーーッ

い…
いいだろうッ！このクソ猫が……
『根比べ』だ
やってやる…
どっちが先にこのマストから……
おりるかだッ！
やってやる……
ザバァ…アァァ
ザザザザ
ザザ
……
ザザザザ…
ザザザ
コクリ
ウト…
ウト

……
はッ！
!?
!!
!?……

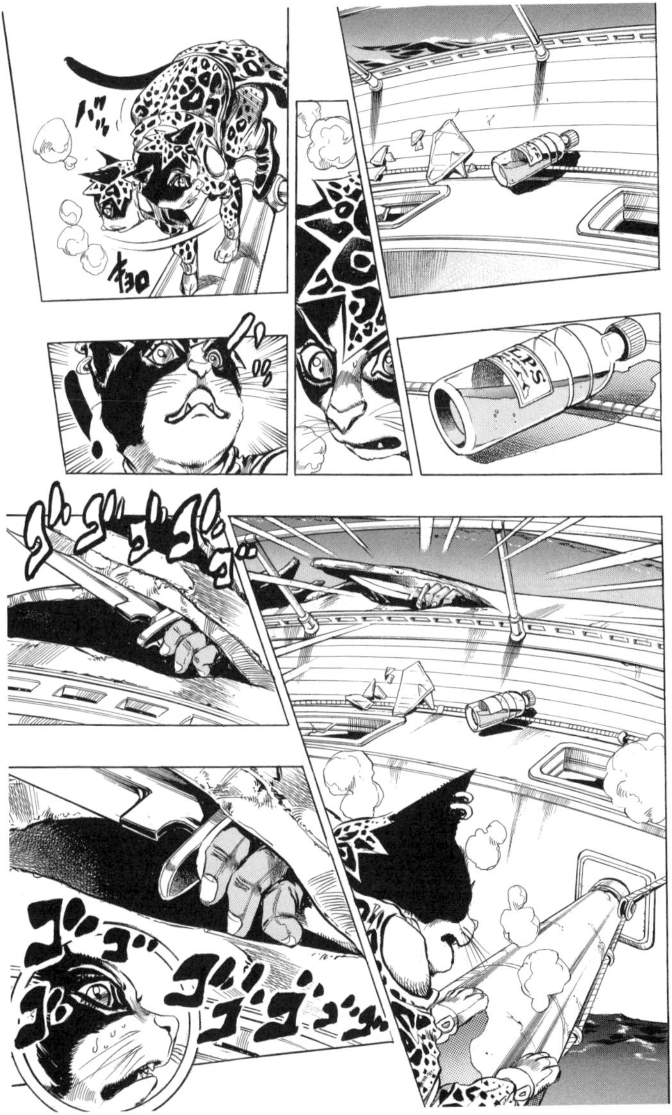

バッ
ギョロ

チラリ!
ゴゴゴゴ
ゴゴゴゴ
ゴゴゴゴ
ハァ
ハァ
ハァ
ハァーハァ
ハァ
ハァ
ハァ
ハァ
スッ
スッ
ズズッ
…………

計算してんのか？
!?
グルッ
素早い自分が「水」をとってマストに逃げられるかどうかを…！
グアッ!!

ひっ・かかっ・たな・あああああヒャアぁぁぁぁあぁぁ――――っ
WRYYYYYYY
YHAAAAAAAA~

KYYYYYYYYYYYYYYY
ドドドド
指にだまされたなぁぁハハハハハ
ハア————————ッ!!
オレの勝ちだァァ————ッ
おめーの血は オレのものだァ
アアアアアアアアアア————ッ
ドドドド
ドドドド

ぐっ
ドドド

そんなに……
……まで
オレを
食いたいの
なら……
もっと
食わし
てやるぜ……
ドドドドドド
えっ………
…………
ガボォ
ガシッ
ガシィィ
オゴォオ
うお
ごっ!!

オゲゲッ！

い
いま……
こい…っ
なにか
しゃべったか……
オゴッ
い…
いや
…気
の
せい…だ
…オレの
頭は……
はっきり
している
……

バッシャアアーーン
ザザザザ
ザザ
ザザザ
ザバァァーーッ
パタ
パタパタ
パタ
パタ
パタパタ

こちら海上保安ヘリ しおかぜ8号 現在地 北緯27度10分 東経140度3分
依然 小型ヨット ラグーン号は 発見できません ただ今をもって本日の 捜索は中止します
くり返します 捜索は 中止します
い…いや待てッ! み…見ろ あれをッ!
いいえ……
見間違いでした
下を海鳥が 飛んでいるのですが… そのうちの一羽に 服を着た「猫」が しがみついて いるように………
い…いえ…なんでもありません 見間違いです…… え〜 くり返します
しおかぜ8号 帰還します
ニャア
ニャア
ニャア
ニャア
ニャア
ニャア
ドルチ(後編)
ダイ・ハード・ザ・キャット
END

Dolce, and His Master.
The End.

『ドルチ　～ダイ・ハード・ザ・キャット～』
（オールマン　96年11～12号掲載）

ページ数を限定されると、登場人物や物語の舞台も限定した方が話に迫力が出る。そーゆー発想から作り始めた作品。
　この作品執筆時の担当編集者が、
「猫が好きで好きでしょうがない。生活する上での心の希望なんだよ」
とまで言ったので、
「でも、アンデスの山中で遭難したら、食べちゃうよ、きっと」
と言ったイジ悪なわたしの性格が生み出した一編。（作品タイプはB）

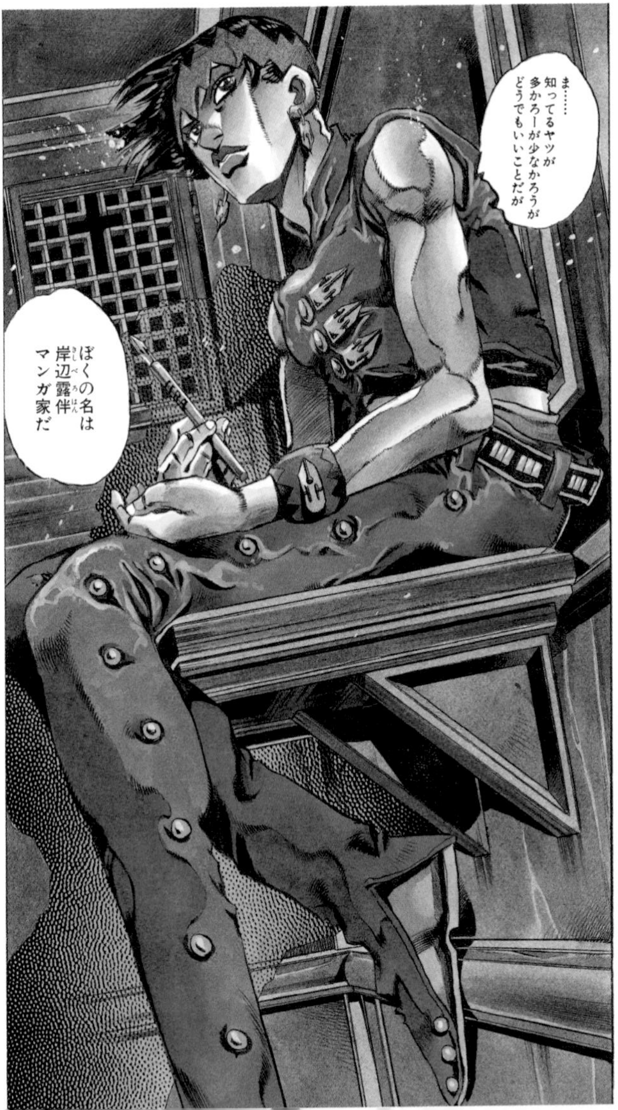
ま……知ってるヤツが多かろーが少なかろうがどうでもいいことだが
ぼくの名は岸辺《きしべ》露伴《ろはん》マンガ家だ

以前　ぼくは
「ピンクダークの少年」という
作品を　少年ジャンプに
連載していたことがあり
……
ま…
ある事故による
ちょっとした負傷のため
執筆をひと夏ほど中断した
ことがあったんだ
あの傑作を
読んでないからって
編集部に
電話するのは
やめてくれ
その中断期間中
ストーリー新展開の取材のため
ぼくはイタリア旅行に行き
ヴェネツィアに8日間ほど
滞在したことがあった
イタリア
ヴェネツィア
ローマ
これからここに
紹介するエピソードは
その時にこの岸辺露伴が
偶然取材した
不思議な話であり
『実際に　この耳で聞いた』
恐怖の出来事なのだ

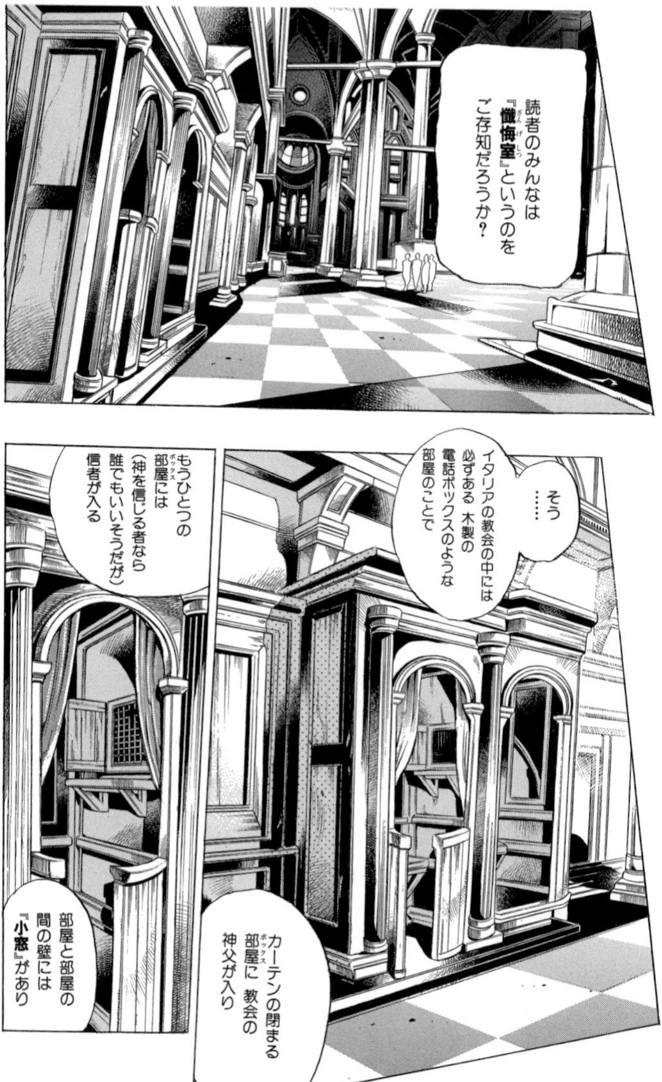
読者のみんなは『懺悔室《ざんげしつ》』というのをご存知だろうか?
そう……
イタリアの教会の中には必ずある 木製の電話ボックスのような部屋のことで
カーテンの閉まる部屋《ボックス》に 教会の神父が入り
もうひとつの部屋《ボックス》には(神を信じる者なら誰でもいいそうだが)信者が入る
部屋と部屋の間の壁には『小窓』があり

『話す声』は聞こえるようになっているのだが 神父と信者の顔はお互いうす暗くて見ることはできない
そして信者はその小窓に向かって自分の犯した「あやまち」をプライバシーを守られて 神父に告白することができるのだ
人は自分が考えるほど心の中にある「秘密」というものを何年も何年も隠し続けることは決してできない
「秘密」が重大であればあるほど心はとても苦しみ悲鳴をあげるものだ
「懺悔室」は その魂の浄化のための場所であり昔の人の「叡知《えいち》」なのだ
ぼくはそこのところに興味があって取材していたのだ
パシャ
パシャ パシャ パシャ パシャ
パシャ
パシャ
パシャ
パシャ
パシャ
禁止なのだが神父のいない時にひそかに写真を撮ったり彫刻のデザインや材質の種類を調べたり
……で
ちょっと経験のために 実際に神父に告白してみるのも悪くないと考え……
部屋《ボックス》に入ってみた
『体験はリアリティを作品に生む』からな…

もちろんことぼくに犯した「罪」なんてあるわけないから
ガタッ
ゴトーン
「禁止なのに教会で写真撮りました」って告白でもしようかと考えていると
ガタガタタ
ゴソッ
ゴソッ
ゴソッ
神父様……
告白に参りました…
わたしは……
深い罪を犯しました……
……
うう……
ううう……

……
?
キョロ
キョロ
!!
とても話さずにはいられません
少々長話になりますが…神父様…
告白しなくては夜も眠れません!
誓って言うッ!
グルッ
ぼくはカーテンの方が神父の入る部屋ということを この時知らなかった
知らないから取材しているのだ当然だろう
……
ゴゴゴゴゴ
だが!
この彼の「告白」こそこれから紹介する恐怖のエピソードであり!殺人と裏切りと!恨みのエピソードなのだッ!
ゴ
前おきが長くなったがこの男はぼくを神父と勘ちがいしてしまったんだ

そして ぼくはその時
こいつの話を聞いちまうのも
悪くはない…!!
――「体験はリアリティを
作品に生む」ッ!
……正直…
ラッキーと
思った
しかも
!
告白しようと
せっかく決心している相手に
「ぼくは神父じゃないも～ん」
って 表に出て行くのも
逆に悪いことでは
ないのカッ!?
…!?
結局のところ
「神父に話した」って
思うことが
この男にとって
大切なのだから
神父様
?
………
どうか?
なされましたか?
神父様?
………
オ
オホン
!!
どう…
ぞ
気に
なさらず
続けて
くだ…
いや…
続けなさい
………
………

はい…
どう話したものか?
いや… あの日の夕方
そう 話は あの日の夕方から始まるんです………
わたしは当時24歳で…
トウモロコシの食品市場に勤めていました
下働きです トウモロコシの入った袋を車につんだり倉庫に運んだり
とても忙しい仕事でガールフレンドを作るヒマもないぐらい忙しいのはとてもいやでした
GRANTURCO
GRANTURCO
GRANTURCO
その日の夕方… もうとっくに6時をすぎていたのですが よくあることで残業していました
そこにです
あの男がやって来たのです

ふらふらした足取り
やる気のないうつろな目
ゴワゴワの髪
におう体臭
一目でわかりました
浮浪者です
しかも東洋人のようでした賃金の少ない自分の国を捨てて
わたしたちの国に金をかせぎに来たのはいいが簡単にかせげる都合のイイ仕事なんてこの国にはないとわかって脱落した感じがにじみ出ていました
そして笑ってるんだか泣いてるんだかわからない表情で浮浪者はわたしに言いました
どうか……
食べる物を
ください

情けない声でした テーブルの上の 私の弁当を 目でチラチラ追っていました
そして わたしは 急に腹が 立って来ました
わたしは残業までしているのに こいつは今まで一日 駅裏とか公園とかで ゴロゴロしていたんだ それなのに「食べ物をくれ」だと？ 都合のイイヤツだ
そしてわたしは 男に言いました
オレは 働いて金をもらい それで食べ物を 買っている
なぜ おまえも そうしないんだ？
この荷を全部 倉庫にしまったら 食べさせてやろうじゃあ ないか!!
働きます で…ですが
先になにか 食べ物を…
5日も ……
食べてないのです 本当です… 少しだけで いいんです
食べたら 必ず 働き…ます
約束します
それは どうかな
やるのか？ やらないのか？
賃金ってのは 終わってから もらうもんなんだゼッ！
…………
……

おいおい
なに小さい方一コだけ持ってるんだ？こっちだよッ！こっちッ！
ポン
ポン
ノロノロ運ぶなよッ！
ズン!!
あと一時間内にやってくれッ！オレは早く帰りたいんだ！
うっっ……
急げ急げッ！
パン
パン
パン
早く食いたいなら早く終わらせることだぜッ！
もう一個持たせるぞコラーーーッ!!
てめー
ナマケぐせがついているなありゃ！ちょっぴり性根をきたえ直してやるかくッ
バタッ！

おい！
フザけてんじゃあ
ねーぞッ！
倒れたフリなんかして
ナマけてるんじゃあ
ねーぜッ！
やっぱり払ってなんか
やんねーッ！
10分も
働いて
ねーじゃあ
ねーか！
…………
ナマけてる
ように…

このオレがナマけているように見えるって言うのかッ!
え?
え!?

オレは今ッ！
暗い海よりも深い
「絶望」の中にいる！
おまえから与えられてな！
え？
ドッドッドドド
オレは忘れねえッ！
てめーの顔は
決してッ！
ゲ
ニュ
うわあああッ！
なんだ
てめーはぁー！
ドッドドド
この報いはッ！
償わせて
やるッ！
必ずッ！
オレは
戻って来るッ！
おまえが「幸せの絶頂の時」
必ずッ！
おまえを迎えに
戻って来るぜッ！
いいなッ！

ドシィ
えっ
あっ 見ろ 袋の下に 誰か 倒れているぞッ!
え?
死んでるぞッ!
え!?
うわっ 死んでいるッ!
医者だッ! 医者を呼べッ!
け 警察も 呼べ!!
クルッ

わたしは知らなかったんだッ！
本当に5日も食べてなかったなんて知らなかったんだア――ッ!!
ドドドドドド
ちょっ ちょっと待って…
いや… 待ってください
確認したいんですけど その「浮浪者」… 最後にしゃべったの 今 死んだあとって言いましたか？
ドドド
夢でも見たんじゃあないですか？
夢？
夢だったら どんなに よかったことか
ドドドド
話はやっと 始まったばかりなんですよ 神父様
本当に 恐ろしいことは
ここから 始まるんです 神父様
それからのわたしは 突然……
不気味なほど 良いこと続きに なりました
遠い親戚から 遺産は入るわ…
…サッカーのくじが 当選するわ…… その金で買った土地が さらに何十倍もの値で 売れるわ
わたしの考えた トウモロコシを使った おかしやコーンフレークが 会社で売り出すや大ヒット 世界中で売れまくるわ

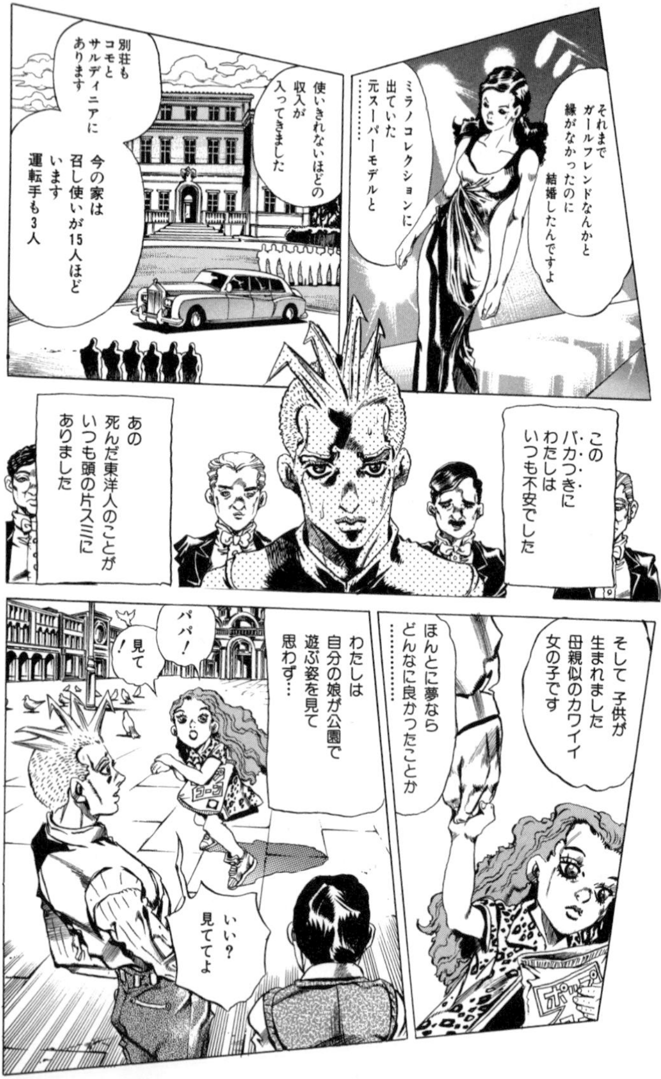
それまで
ガールフレンドなんかと
縁がなかったのに
結婚したんですよ
ミラノコレクションに
出ていた
元スーパーモデルと……
使いきれないほどの
収入が
入ってきました
別荘も
コモと
サルディニアに
あります
今の家は
召し使いが15人ほど
います
運転手も3人
この
バ・カ・つ・きに
わたしは
いつも不安でした
あの
死んだ東洋人のことが
いつも頭の片スミに
ありました
そして 子供が
生まれました
母親似のカワイイ
女の子です
ほんとに夢なら
どんなに良かったことか……
わたしは
自分の娘が公園で
遊ぶ姿を見て
思わず…
パパ！
見て！
いい？
見ててよ

ポップコーン
ポォーーーン
ああ〜〜〜ん♡失敗ィイィイ〜〜
おしいおしい
ギリギリだったぞ！
お嬢様
目もつぶっちゃってましたよ！もう一回！
ああ……こんな愛くるしい娘がそばにいるなんて
『なんてわたしは幸せなんだろう』
そう思ってしまいました

ド
約束どおり！
ドド
ズブブ
ズブブ
ドド
ドド
ドド
ドドドド

ドドド
ズグ
ズイ
約束どおり！
戻って来たぜ――ッ
おめェ――を迎えにな ッ！
ドド
ドド
ドド

お嬢様どうかなされましたかッ!
ドゴォ
うるせェ――――ッ!!
ポップ
安心しろッ!
迎えに来たのはオマエだけだッ!娘の体は借りてるだけだッ!
やめろオオオオ――
うああああやめてくれくれェ〜ッ 違うんだ!「逆恨み」はやめてくれェ――――ッ!!
メリメリ
メリ
?
『逆恨み』
おまえはここ数年で人生の幸運を全て楽しんだろう……!!「富」「名声」「家族」
え!自分の実力でそうなったと思ったのか!?
オレが影で手伝ってやってたんだッ!『幸福の絶頂から突き落とされる時!』絶望というオレと同じ気持ちを味わわせてやるためになッ!

だが……しかしながら！
オレは自分の魂を救うためにおまえに恨みを晴らす！おまえに「逆恨み」と思われたまま死なれるのは後味の悪いものを残す！
ひとつチャンスをやろう！
公平なチャンスだオレの恨みが「逆恨み」かどうか神に判断してもらうんだ……
ポップ
おまえに未来が残ってるかどうかおまえの「運」を試してみるんだ！
おまえには幸運なんてすでに使いはたして残ってねーはずだが……
「運命」がおまえに味方するならオレの「恨み」は「逆恨み」ということで殺すのはあきらめて消えてやる！
運命に「審判」を下《くだ》してもらうというわけだ!!
どうだ!? 運を「試す」か!? 「試さない」か!?
な！なにを言ってるのかわからない！なにを試すんだ——!?
てめ——は「試す」か「試さねー」かだけ答えんだよ——ッ!!
その他の言いわけは聞きたかねーッ「試さねエー」んならこのまま首を吹っ飛ばす！

なんで!!なんでこのわたしがァアァア――
や…やる…ッ!
ゲボッ ゲボッ ゲボ ゲボ
やるう〜〜〜〜ううッ
やるよッ!受けるしかねえーんだろーオオオオ
良しッ!持てッ!
ドドド
ハラ ハラ
運命とはほんのちっぽけなささいなことでわかる…
…………?
?
?
そっ……!……
問題は…………神がおまえに味方するかどうかだからな…………
ドドド

その「ポップコーン」をあのランプより高く投げ…
口でキャッチしてみろ！
『三度続けてだ！』
おまえの娘がやってたみて――になッ！
……………
ドドドド
三度うまくできたならオレはおめーのせいで死んだことも「運命」だと思ってあきらめて消えてやるッ！
そんなくだらないことでッ！
これはオレの魂の結着でもあるんだ――ッ！
それがくだらねーことと言うのかッ！
手をたたく合図でやれッ！
ランプより低く投げたらてめーを瞬間すかさず殺す！
合図より遅れたら殺すッ！
三回連続だッ
準備はいいかッ！
ドドド

行くぞッ！
ちょっ
ちょっと待ってくれエーーッ
うわああああああああああ
ドドドドドドドドド

高さは……
ヴィヴィヴゥーゥーヴゥゥヴゥゥゥ〜〜ッ
良しッ！
なんでオレがこんな目に………!!
なんでッ……!!
前だ……前に落ちて来るッ……
一歩前だ!!
いいや…違うッ！

後ろだッ!!
一歩後ろに落ちて来るッ！
ピシャ
うっ…
ま まぶ…
ポトン
コロ
コロコロ
コロコロ
あああああああああ
ポトー
うおああああああああ

ポップ
コー
…あ
危ねええええ
でもやったッ!
やったぞッ!
………
キャッチ
できたぞッ!
やったッ!
……危《あぶ》
危ねえッ!!
2投目行くぞッ!
次のポップコーンを
持てッ!
ちょ…っ!
ちょっと待って
ハアハアー
た…
太陽が
今ッ!
待って
くれッ!

すごくまぶしかったんだッ！
不公平だッ！日陰でやってもかまわねーだろッ
ハアハアハア
日陰のその次はなにを要求するつもりだ…？
風が吹くから家の中にしてくれとか……
汗が目に入るから汗のかかない冬にしてくれとでも言うつもりか？
「時」は今だッ！「場所」はここだッ！
何が起ころうがそれは運命の一部だッ！
いいなッ！あと2回だッ！失敗したらオレはおまえを殺すッ！
成功したら約束どおりオレは消えるッ！
さあ投げろッ！2投目を!!
ゴゴゴゴ
本当に……
消えてくれるんだなッ！
ハァハァ
成功したら！
……オレを助けてくれるんだなあッ!!

くどいぞッ！
うおおおおおおおおおおおお
投げなければ殺すッ!!
ちっ
高さは…
良しか…

や……
やったッ！
太陽は
雲の中に
入ったぞッ！
しかも
ポップコーンは
うまいぐあいに
真っ直ぐ
上がったッ！
良し！いいぞッ！
このままずれずに
落ちて来るぞッ
！
なんだ
あの音は
………
聞いたことの
あるあの音は
バサッ
バサッ
バサッ
バサッ
バサッ
バサッ
バサッ
バサッ
ン!?
ハッ！
あ
あれはッ！
まさか！

バサ
バサ
なにイイイ——ッ
バサ
バサ！
オッ
こいつは
いいッ！
餌をくれるんだと思って待ってたってわけかッ！
ほうり投げたからもらえると思ったわけかッ！

落下より
鳩のスピードの
方が速いぜッ！
やはり幸運はつきていた
ようだなッ！
うおおおお
ああああああ
!!
!!
!!

ギャン!!
パ
ザッ
やったァ!
見たかッ!
やったぞッ!
2発目もキャッチしたぞ——ッ!
ざまあ見ろッ! ぜんぜん簡単だッ!
オレに『幸運』がなくなっただってッ!!
これでもないって言うのかッ!
それに今まであわててたけれど
落ちついて来たッ!
勝てるッ!
オレは勝てるッ!
喜ぶのは……

最後の一発が
終わってから
いくらでもやるんだなあーーッ
手をたたくぜッ!
準備はいいなッ!
やってやるぜ!!
あと一回ッ!
やってや……
……え
…………
クル!!

なんだってェ〜〜〜〜ッ!!
ドドドドド
ドドドド

鳩を集めたのはおまえなんだからな
ドドドドドドドドド
袋のポップコーンを残らずバラまいたのはおまえなんだからな！
こ…この『一個』を
ドドドド
ランプより高く投げたら
あっち行けッ！チクショオッ！
バサバサ
行けってんだッ！もう餌はねえんだよッ！行けッ！
バサ
バサ
バサ
行けってんだ!!
行くぞ最後の一回だッ！
ドドドドドド
まっ…待てッ！
ドドドド
待ってくれーーーッ!!
ドドドドドド

パクーーッ!
!!
……
バサバサ
バサ
バサッ
…

ゆら…
ゆら…
ゆら…
ゆら…
おおおおおおおおぉッ！

どうだッ！燃えてるポップコーンを鳩が食えるかッ！
オイルで火をつけた餌に鳩が寄って来れるかッ！
やったぞッ！まっすぐ落下して来るぜ──ッ!!

ピカァーッ
……
え…
み
見えない……
ポップコーンが…
燃えるから
炎の「輝き」が「太陽の光」の中に溶けこんで…
見えないッ！
見えないぞッ！ど…どこだッ！

ポン
あ…
ナ……
ドン
審判はッ！

『逆恨みではない』と
下ったッ!
ワハハハハハ
ワハハハハハハハハハ
ワハハハハハ
ワハハハハ

……
……
わたしのこと「生きてるじゃあないか」……
そう思ってますね神父様
そこなんです
わたしが「懺悔」に参ったのはそこのところなんですよ
とても話さずにはいられません…わたしの犯した恐ろしい罪を…
……
あの浮浪者は…
このわたしを望むものならなんでも手に入るほどの金持ちにしてくれたんです
わたしの言いなりになる召し使いぐらい簡単に見つけられるほどのね

だんな様ア〜〜〜 出て来いよオ
だんな様ア〜〜〜
いくら「懺悔」に来たってこのあっしめの「恨み」は
消えはしねえ——んだからなああ〜〜〜
出て来いったらよオ〜〜〜
だんな様
出て来いよオ〜

ズルリ
このあっしめを金でつって
「整形手術」させて!
だまして!
あんな怖い目に遭わして
くださった「恨み」は
……だんな様…
絶対許しは
しねエエ〜〜
死んでも
死にきれねエー

この『恨み』は
だんな様の娘が
「幸せの絶頂」の時
必ずあんたを
迎えに来ます
ズルリ
ズルリ
ズルリ
迎えるのは
だめだ
ドドドド
……
今度は
だまされねエーように
四六時中このクソ野郎を
見張ってねーとよオーッ!!
ドドドド

これがわたしがイタリア取材中に体験した恐怖のエピソードの全てです
このあと彼がどうなったのか…この岸辺露伴はまだ知らない…来年か さ来年…また彼に会いに取材に来てみるのもいいかもしれない
怨霊に取り憑かれてもあきらめず 孤独に人生を前向きに生きる男…彼は悪人だと思うがそこのところは尊敬できる…そう思うのはぼくだけかもしれないが…
THE END 『懺悔室《ざんげしつ》』

Thus Spoke Kishibe Rohan.
Episode 16: At a Confessional
The End.

『岸辺露伴は動かない〜エピソード16：懺悔室〜』

(週刊少年ジャンプ　97年30号掲載)

子供の頃、父や祖父がよくわたしを叱る時、
「無人島へ行け！　おまえのようなヤツは！」
とか、
「刑務所に頼んで入れてもらうぞ！」
(家の近所に刑務所があった)とか言われて、「無人島は行ってみたいなあ」と思ったが、「刑務所はすごく恐ろしくて、カンベンしてくれえ」と思った。そんな叱りの言葉の中に
「普段、人をあざむいて生活していると一番幸福な時にバチがあたるぞ」
というのがあって、それはいまだに恐ろしい。ハッピーって時に突き落とされるのが、ヤバイって感じがあって、大人になるにしたがって恐怖の度合いが増して来てるんですけど。別に人をだましてはいないと思うんだけど、イヤな感じ。でも、それでもヘコたれない本作品の主人公は好き。タイトルの「動かない」というのは、岸辺露伴は主人公ではなく、物語のナビゲーターですよ、という意味。(作品タイプで言うとB)

バービー 40歳
樫の木坂
児童殺人事件
今夜0時
時効成立
隣座席の学生の読んでるスポーツ新聞を盗み見ながら
駅を5つほど乗りすごし
虹《にじ》ケ《が》丘《おか》駅に着くと
わたしは まず駅前の花屋で3分ばかり花の香りをかいだ
Roses

デッドマンズQ

そして駐輪してある自転車群のスキ間を
他人にぶつかる事のないように注意しながら商店街に向かい
本屋に入った
別に売れてそうもない……
『鼻をなくしたゾウさん』というタイトルの本を見て
いったい なんでまた鼻なんかなくしちまったんだ？
……と
ものすごく 中の話に好奇心を持ったがその気持ちをグッとおさえて
適当な雑誌を探した

帽子をかぶった男の写真が載っていればいい…
被写体の顔はどうでもいい……すぐに見つけた
ん…
これでいいかな……
画面から足が切れているがぜんぜん問題はないだろう…
パラ…
次は「電話」だ
……
……
本屋を出て数百メートル歩きわたしは「電話」を借りるため住宅地に行くとマンションを探した
BOOKS
本
一戸建てよりマンションがいい

それと　もうひとつ
…重要なことなんだが
ついでに
『くだものナイフ』も
手に入れたい
電話を借りるのは
わたしは
携帯電話も現金も
今　持っていない
からだ
本当に持っていない
――所持金ゼロ
一円玉一個だって
持っていない
……
ピンポォォォン
ピリ
ピリ
ピリ
ピリ
ビリ
…………

え〰〰〰と『光丸《みつまる》デパート』ですが………
ピリ
ピリ
ピリ
お届け物ですゥ――ッ
ガタッ
ゴン…
ザ!
はい……?
どなたですって?…
お荷物ですぅ――
『光丸デパート』から…
「電話」を貸してくれと正直に言ってドアを開けるヤツが この都会にいるだろうか? そんなお人好しはいないだろう……

ちょっと あなた どうやって ここまで上がって来たの？
一階の管理人は？
いらっしゃいませんでした〜〜〜
光丸デパートって言った？
おかしいわね…
うちでは何も買い物した覚えは ありませんけど
えーと！ レジデンス虹ヶ丘504号 山岡《やまおか》様……
住所は たしかに ここに間違いはありません
504
本当に？ でも それは変だわ…
あたし 光丸デパートなんて最近行ってないし 通販だってやってないもの
なににしようかな…
品物はなに？
ジャンボのプラモデル
プラモデルウ〜〜〜？
送り主はどなた？
MOSTRE
山岡様
だから
あたしは光丸デパートなんかには半径500メートルだって近づいていないし プラモデルなんて絶対 買わないわ！
ご主人では？
それも絶対ありえないわ… あなた方の手違いよ…
ご苦労様だけど 持ち帰ってくださらない
受け取りを拒否なさるということですか？
そういうことね

ではサインをいただかないと受領書に印鑑か
……
あなた 人の話聞いてないの？ 受け取らないってのに受領書ってなによ？
受け取り拒否っていうマスがありましてその中に印鑑かサインが必要なんです
規則に従わないとわたしは帰れません
あなた方の決めた規則なんて知ったことじゃあないわ！
いい？
心あたりのないことに あたし絶対 ドアは開けないわよ！
この近所はサギまがいの商売人がうろつき回ってるし物騒な世の中なのよわかるでしょ？
まさに ごもっとも…電話 借りるだけだってのにヘトヘトになる
じゃあこうしましょう
ここの「郵便受け」を開けてください…
ここから受領書を入れますから 受け取り拒否にサインして外に戻してよこす…
それならかまわないですか？
……
POST

フゥ〜〜〜っ
どうしてもサインしなきゃあ
あなた…
帰らないって
言うの？
仕方ないわね
……
いいわ…
そこから中に
入れてちょうだい…
……
ありがとうございます
ガチャ
ん…!!
スゥ…ん…
ヒラ
ヒラ
カサ
カサ
………

なに？
？
なんなのよ？

……
今のなんだったの？
スッごく怪しいわ！
？プラモデル
やっぱり ドア開けなくてよかったわ！しゃべり方も気持ち悪かったし
そいつはどうも……
なるほど着がえ中だったわけか……

ああーん
！
ヤダァーー
ブーツの油が脚についちゃったわッ！
またシャワーで洗い直さなくっちゃあもォ〜〜〜〜
しばらく眺めていたいところだが この『場所』に『入っていい』という彼女の魂の許可は得たし
どこから洗うんだろう下着を身につけるしぐさまで……
シャアアアア
まずはこのスキに「電話」だ
玄関ホールに電話をおいてある家庭は 少なくなつたな
わたしが生きていた頃はたいていは一家に一台電話はゲタ箱のすぐそばつてものだつたが…
シャアアアアア
ン……

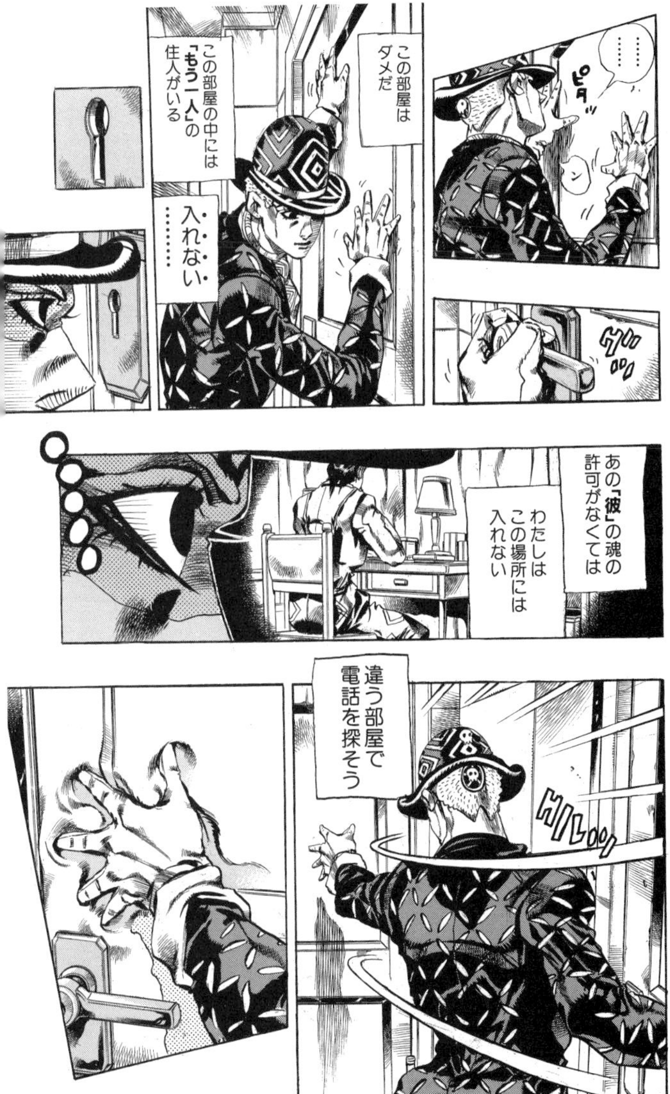
…………
ピタッ
ン
この部屋はダメだ
この部屋の中には「もう一人」の住人がいる
入れない……
ガッ
あの「彼」の魂の許可がなくては
わたしはこの場所には入れない
違う部屋で電話を探そう
ガバッ

ドギュン
ズズ
ズズ
ズズ
ズリ
ズリリ
ン…

わたしはときどき自分の生活について考える
死んで「魂」だけになる前は 自分の「価値観の中心」は数字だった
稼ぐ金額は他人より多い数字 成績の順位は他人よりも少ない数字
新幹線は一分でも速くだし 年齢は一歳でも若くだ
髪の毛は一本でも多く 体脂肪率は20%以下
じゃあ 今は なにに価値を見い出せば 心が落ちつくのだ？
速い電車なんか乗りたかないし 養毛剤もいらね
この本買ってるヤツがいたとはな
彼女が読んでるのかな やはり おもしろいみたいだが…
でも鼻をなくしちまったら どうやって草を食ったり シャワーあびたりするんだ？
ピポパ
ポパ
鼻をなくしたゾウさん

今回の「仕事」が終わったら
どこかにこんな感じの部屋を探したい
トゥルルルルル
眺めのいい部屋
風に吹かれず おちついて 本が読めて 花の絵を描いたり
ヘッドホンステレオではない スピーカーの音響で ワーグナーの音楽に陶酔できるような部屋だ
誰も「幽霊が出るぞ」なんて噂を立てず
霊能者を連れたTV局がやって来ないように 人間が借りてるように 家賃も払う キチッと 大家の「許可」もとった…
……わたしだけの「結界」のある部屋だ………
あんな風になるのは わたしは絶対に ごめんだ

通行人の足にぶつからないよう電柱のカゲにうずくまったり
木の上にしがみついてるヤツらと同じにはな……
しかし…具体的に言ってどうすれば生きている人間からマンションなんか借りれるんだ？
電話するだけでもけっこう骨が折れるってのに
くそっ！
こいつ電話にも出やがらないッ！
トゥルルルルルルル
コール音切ってるのかッ！
…………やっと居場所と携帯の番号をつかんだというのに
こいつと話さえできれば「仕事」は終わる
どうする？
「仕事」の期限は今夜中だ 明日では意味がない… こいつと「話」はできるのか？

電話がだめなら
とりあえず
「ナイフ」だけは手に入れておかなければ
ピタン
……
ペチャ
ペチャ ペチャ
ピチャ ピチャ
ROCK
ピチャ
ピチャ
ROCKY
…犬が
——いたのか
まさか——

ピチャ
ピチャ
ピチャ
ROCKY
ドギャーアアーーーン
ややばい……
ヴォオオオオオ
ガヴォ
ウヴォ
ガオオ
こいつには
わたしが見えているッ!!

ガチャリ

うおおおおおおおお
な…!?
し…しまった……!
おおおおおお
か…「体」が!!!

ズドドドォォーーー
ヤッ
？
？
？
な…
なに……!?
今の感覚は……!?
ロッキー
なんの騒ぎ？
ボン
ウガガガ
ガガガガ
ググ
うおおおあああ
ああ…な……
なんて……
こった
ドド
なにに吠えて
あばれてるの
ド

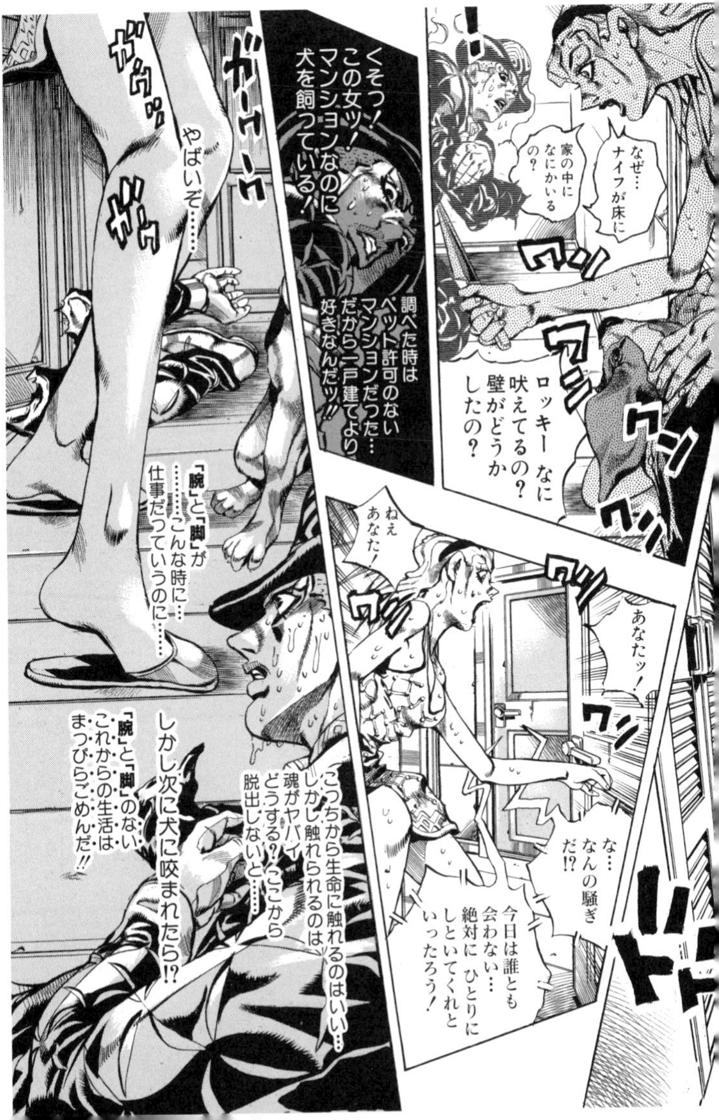

なぜ…ナイフが床に
家の中になにかいるの？
ロッキー　なに吠えてるの？壁がどうかしたの？
ワン
ワン
ワン
ワン
くそっ！この女ッ！マンションなのに犬を飼っている！
調べた時はペット許可のないマンションだった…だから一戸建てより好きなんだッ!!
ガーン
ガウゥ
ガウ
やばいぞ……
「腕」と「脚」が……こんな時に…仕事だっていうのに……
ねえあなた！
ワン
ワン
あなたッ！
ワン
な…なんの騒ぎだ!?
今日は誰とも会わない…絶対に ひとりにしといてくれといったろう！
こっちから生命に触れるのはいい…しかし触れられるのは魂がヤバイどうする？ここから脱出しないと……
しかし次に犬に咬まれたら!?
「腕」と「脚」のないこれからの生活はまっぴらごめんだ!!

ミャオオ
ボト
トン
トン
トン
戸棚の
中……
なっ……
ガチャ
なにかいるッ!!

ズ
ガ
ド

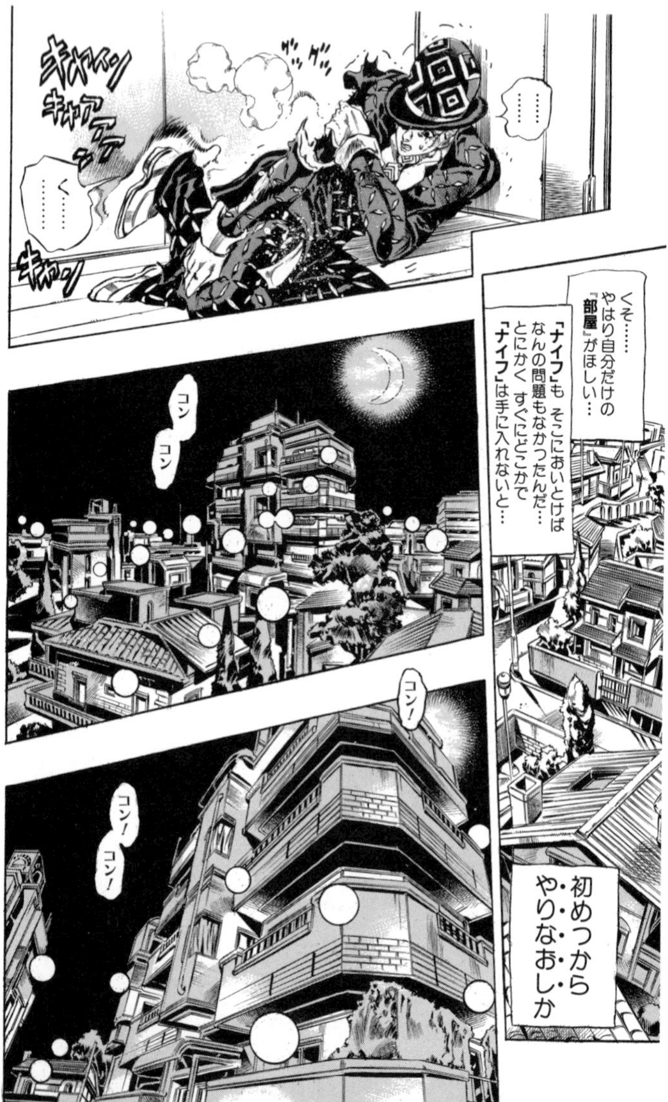
……
キャイン
キャアアン
く……
キャン
くそ……
やはり自分だけの「部屋」がほしい…
「ナイフ」も そこにおいとけば なんの問題もなかったんだ…
とにかく すぐにどこかで「ナイフ」は手に入れないと…
コン
コン
コン!
コン!
コン!
初めっから
やりなおしか

コン!
コン!コン!
コン
コン
コン
……………
コン
コン
コン
コン
ドシャアーン
バサ
バサ
バサ
バサ
……………

……
鳩は……
……………
チクタク
チクタク
チク
タク
チクタク
プウウウーーーッ
プハハハアッ!!
うくくくく
はははは
くくくっくっ
ぷはは……
はははは
うくくく——
ヒヒヒ
ヒ
くくくっ

気のせいだ
うくくくく
いつだって気のせいだ…
昨日だって気のせいだし
明日だって気のせいさッ！
……今までオレはずっと勝ち続けて来たんだ！
これからもう誰だろうとオレに追いつくことはできねえ!!
……
バサッ
バサッ
バサッ
バサ
バサッ
15年前の樫の木坂
児童殺人事件
今夜0時で
時効成立
バサッ
15年前の樫の木坂
児童殺人事件
今夜0時で
時効成立
変装例→
バサッ
バサッ

プーーーッ
鳩だろーが警察だろーが俺のところまで来れるもんなら来てみやがれってんだァァァ――――！
アハハハハー
ハハハハハハ
ありがとう

「許可」が出たのなら入らしてもらう
ガシイッ
パキン

ドドドドド
ドド
ドォ…

ズ
わたしの名前は「吉良吉影《きらよしかげ》」
いつ…なぜ わたしが
死んだのかは
どうしても思い出せない
ひとつだけ言える
ことは 自分は決して
天国へは行けない
だろうという
実感があるだけだ
これから
どうするのか？
それもわからない……
永遠に時が続くと
いうのなら
「仕事」を「生きがい」に
しておけば 幸福に
なれるかもしれない

『おむかえ』が来たというわけだよ
君は寿命なんだ
依頼人によると最も喜んでいる時に恥をかかせて むかえに行くようにという条件だった
再び新聞に載れるな
依頼人の名前？そんなこと 君は知らなくていい……
トゥルルルルルルルルル
もしもし
警察に連絡した方がいい
ブッ
はい？
もしもし？
ドサァ
……
ピ
ピ
なんですって？もしもし？
……だれか
だ
う……あ……
ガク！

もし もし?
もし もし
ひょっとして あなた? その声……
まさかね…… なんで隣の部屋から電話してくんの?
もしもし? もしもし
女をだまして 自分の居場所を 手に入れたのか…
いや… 彼女も知ってて 匿《かくま》っていたと 考える方が自然か…
とにかく…………
指名手配犯が 部屋を借りれて なぜ わたしには 部屋がないのか ……
今夜は どこで 休もうか…

Deadman's Questions

To be Continued...

DEADMAN'S ANSWERS
DEADMAN'S ANSWERS
DEADMAN'S QUESTIONS

すてきな青空
だつた
こんな日は歩いて
行きたいところだが
距離400㎞は
ちよつと遠い
わたしは
JRの新幹線に
乗ることにした
現金は
一円たりとも
持ち歩くことは
ないが
「心の平和」
のため
時として「金」が
必要になる
わたしは自分の行きそうな
場所には いつも
ちよつとした現金を
隠しとくことにしている
12
10

ズボオオ！
ズ
ズズーズ
ズズ
中止
……
ベリィ
中止

12時20分発 S市行き やまびこ 129号 指定・グリーン車・禁煙席
2枚―― 販売機のボタンを押し間違えないよう操作して予約
合計 28160円 キチッと支払った
中止
つり銭はくれてやる
9号 グリーン車 8A・8B 並んだ2席
新幹線指定席
グリーン券
やまびこ129号
○月×日12時20分発
9号車8A
禁煙席
記憶したら 券《チケット》は2枚とも やぶり捨てた
ビリ
ビリ
券《チケット》は持たない 席をとったという ことが大切なのだ…
そして最も重要なのは このすてきな青空を眺める ことであり 移動する景色を ゆっくり楽しむことなのだ
それ以上に 重要なことが この世にあるの か?

あの窓はレストランか？
不思議だ……食事してるのは女ばっかしだ
じゃあ男はどこでランチを食っているのだろう？
ドドドド
ザワァァ
昼メシを食わないわけはない… わたしが生きていた頃はどうだったっけ？
ねぇ～～～ママぁあアイスゥ買ってェェェェ
アイスゥーッアイス買ってよォオオォ
今ダンゴ食べてるでしょお？
のどかわいたのォ
アイスアイスアイスアイスアイスが食べたいィイアイス買ってエエ――
ゲロ吐くわよ
…………

お休み中 失礼しますぅ
乗車指定券を 拝見させて いただきます
こっち側の窓 天気が良すぎて おハダが焼けちゃうから うちのヨシキ 席うつらせて もらったわ
アイス――
アイス――
いえ… そこには予約が 入ってますが…
空いてるわよ！ 空いてるなら いいじゃあない！
ママぁ アイスアイス アイスアイス アイスゥ～
……
……
ムムッ
ムズ…

…マ……
……
グググググーッ
?
ママぁあ……
ガブーッ
ママぁああ
!?
!?マ……
!?
ガガガ
ガガガ
うえええええええええええ
ゲベッ
ドバァ
な…なにやってんだよヨシキッ
!?
カチャ
バッ!!
ガォォン!

ママぁ
あぁ〜〜〜
ひいいい
いいいい
ポイ
ポイ
わたしは
ときどき考える……
いや──
いつもかな……
どこかにヒントは
ないものかと考える
『母親が
子供を産む』
……
その場合だ……
赤んぼうの魂ってのは
どこから やって来るの
だろうか？
母親の魂が
細胞のように分裂して
生長して来たのが
あのガキの魂なのか？
……
それとも

――やはり みんなの言うように『あの世』ってのが どこかにあって そこから 母親のところにやって 来たのが あのガキなのか？
それは この『宇宙の法則』なのか？
それが確実にわかれば わたしのこれからの『生活』にも キチッとした目的が 立てられるだろうに…
S 市
今回の『仕事』の 住所はS市の駅前から 約２㎞の距離
景色も 楽しんだことだし もうバスや電車に 乗る意味はない ――歩いて行こう――
『標的《ターゲット》』は ひとり
『軍人の家に 住む者』
『軍人』？

なんだ
それ？
『軍人』
って？
ザッ
ザッ
自衛隊って
ことか？
この国に
軍人なんて
いるのか？
…………
このあいだ「依頼」した
指名手配の犯人と違って
今回 君は「標的《ターゲット》」を探さなく
てもいい…
なぜなら
住所は
わかっている
から……
この場所に行き
期限はないが
すみやかに「執行」
してくれれば良い
方法は
まかせます

これだけ？名前はなんていう？
「標的《ターゲット》」の顔写真はないのか？
………ないわ
「標的《ターゲット》」が
善人だろうと悪人だろうとオレは どうでもいい… しかし「執行」したあとで
ひと間違いでしたじゃあイヤな思いをするのはあんたじゃあないのか？
行けば すぐわかります
その「軍人の家」には そいつしか住んでいません
そいつ 自宅で軍服でも着てるってのか？
それで見分けろと？
『屋敷幽霊』って知ってる？
……今なんて……
？……………
幽霊屋敷？

違う……『屋敷……幽霊』
その住所には今から50数年前ある「旧陸軍将校」の屋敷が建っていました
時代は太平洋戦争末期——S市は米軍の猛烈な空襲にみまわれ…
その将校の家は真っ先に狙われこっぱみじんに吹っ飛んだのです
その時幸い そこで死人は出ていないし…
その将校も終戦後50年…長生きして82歳で老衰死している
だが その「軍人の屋敷」は今も存在しているのです
『その家自体が霊魂となって 未だにその場所にある』
言ってることがわかります？

……
つまり人じゃあなくて
その
「家が幽霊」ってことか？
その種のものを
今までどこかで見たことは？
あるなら こうして驚いていないよ…
今オッたまげてるのが初めてだ
わたくしは… あまり旅はしないが 九州に二軒 徳島と和歌山に一軒ずつ 旅館や学校の幽霊を見ています
……
その「軍人の家」の付近では過去56人が自殺や変死をとげてるの……
その理由を調べて 君にそれをとりのぞいてもらいたいのです
今回の「標的《ターゲット》」は……その
話の内容から想像するとそんな家に住めるのは「生きてる人間」じゃあないってことだよな？——？
原因は君に調べてもらいたい
オレと同類なのにそいつ 住む家を持っている？
TV局にはバレてないのか？
……？
この住所は眺めのいい場所？

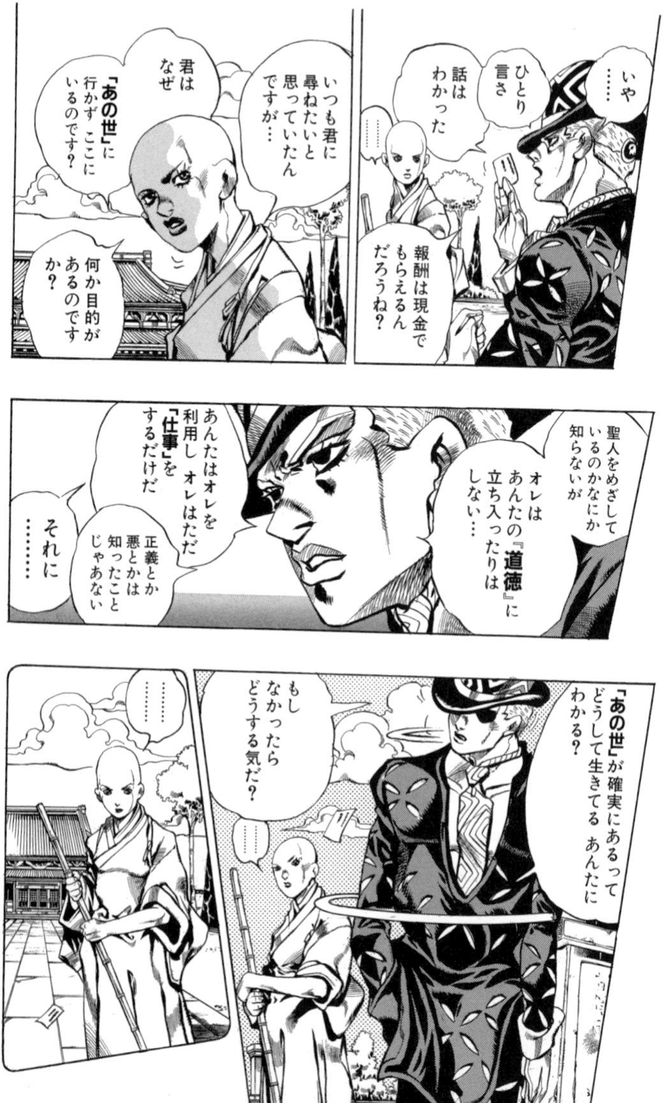
いや……
ひとり言さ
話はわかった
……
報酬は現金でもらえるんだろうね？
いつも君に尋ねたいと思っていたんですが…
君はなぜ「あの世」に行かず ここにいるのです？
何か目的があるのですか？
聖人をめざしているのかなにか知らないが
オレはあんたの『道徳』に立ち入ったりはしない…
あんたはオレを利用し オレはただ「仕事」をするだけだ
正義とか悪とかは知ったことじゃあない
それに………
「あの世」が確実にあるってどうして生きてる あんたにわかる？
もしなかったらどうする気だ？
……
……

バァァ
ァァアァ
S市杜王区《もりおうく》
片平町《かたひらちょう》4の25
たしかに…
ここだ
住所はここに
間違いない…
……
眺めは
あまり良いとは
言えないが
片平
308
ゴゴゴゴゴゴ
……
……

こいつは…

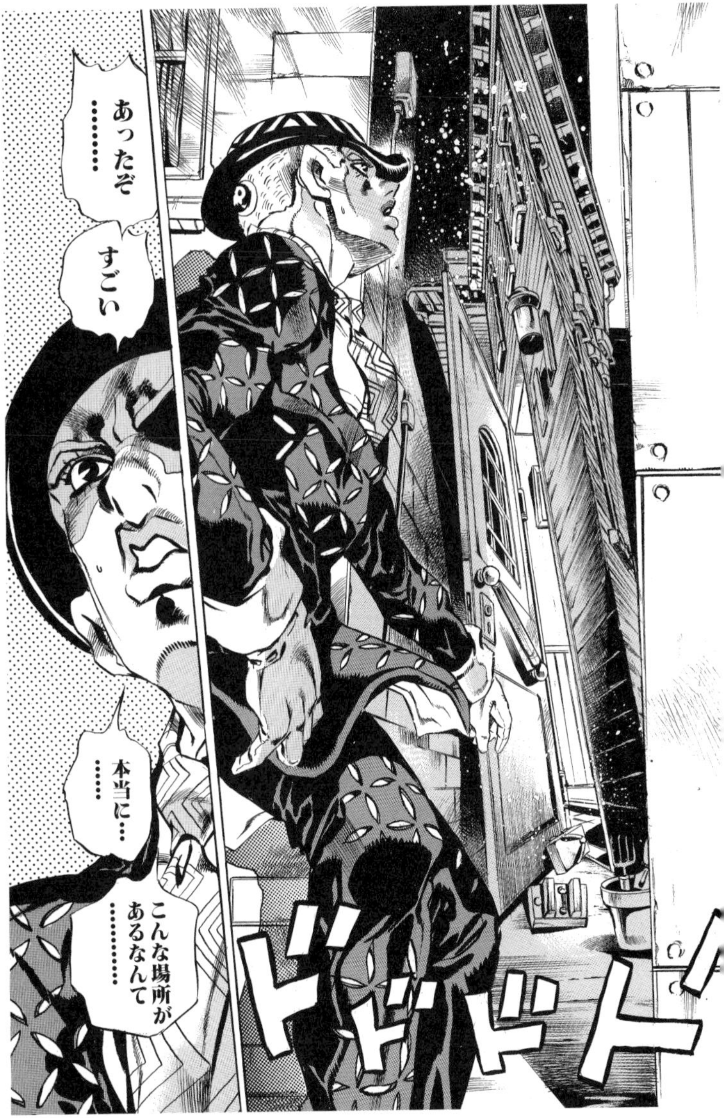
あったぞ………
すごい
本当に……
こんな場所があるなんて………
ドドドド

このこまかい品物まで…
ドッギュン!!
…そうなのか…………？
クルッ
!!
!!

バッ―!
ゾオオオオオ
コン
コン
コン
コン
コン
コン
コン
コン
すごい……

スゴイ…この「くま手」も
「ゲタ」も「電気スタンド」も全て「幽霊」でできているのか・・・！
…………
ギギギ
ギギ
スゴイが………しかし
ひとつおかしなことがある
この家の中には何者も潜んでいる「気配」はない…
相手が幽霊でも『結界』はある
もし家の中に何者かがいるのなら　わたしは許可なくして　この家の中に入ることはできない
何者もいない・いないから・入れた
………おかしい
『標的《ターゲット》』は今　外出中か？

ガリ
ガリ
ガッ
マッチ
マッチ
シボッ
この火も「幽霊」？
みたいだな
他のものには燃えうつらない
でもおもしろいから
もらっとこう

若い軍人だ……
この家の元…
持ち主か
おおっ！
竹久夢二《たけひさゆめじ》か？
これ！
マジィ!?
本物か!?
いや
絵の幽霊
だけど
「ダンテの神曲」
「ああ無情」
宮澤賢治《みやざわけんじ》に
江戸川乱歩《えどがわらんぽ》
二銭銅貨
江戸川乱歩
やった！
やった
こりゃまったく
スゴイぞ
作品は古いが
これなら電車の中でも
公園のベンチでも
どこでも読める！
ドドドド

こりゃもらって帰らねー手はない
食器や道具類もある
ガチャ
夢のような家だ…宝の山だなここはッ！
ガシャ
ガチャ
このナイフは使えるぞ！どこでも持ち歩ける
ガチャ
！！
ゴロ
ゴロ
ゴロ
ゴロ
な！？
……！？
……！！
ゴロ ゴロ ゴロ
ゴロ
なんだッ！？こっ…

ドバシャ
ドシャ
ドシュッ
ガシャ
ドロ
ドロドロ
ドロ
ドロ
ドロ
ドロ
ドロ ドロォォオ

……
卵？
？
卵？
なんだこりゃあ……
卵って 家の中にあるってことはつまり… その
……

Deadman's Questions

To be Continued...

『卵』
何の「卵」?
ニワトリのか
……?
しかし
この
空襲で爆撃
された「家」に
あるってことは
……つまり……
?

ゴゴゴゴ
……
食料の幽霊？食い物も霊魂になる？………でも そもそも最初から卵って生き物なのか？
それともただの「物」？
トロ

他に「食い物」の幽霊はないみたいだ
だが…やはり何か妙だ
ガチャ
……
「標的《ターゲット》」がこの家に住んでるとして……
……
この「卵」がこぼれ出てくる戸棚は今まで開けたことはなかった?
パラッ
このチリ紙もそうだ誰かが触れたことのある形跡やシワはないし
マッチの紙ヤスリも新品だ……
こすった跡がない
塩
自分なら何に火がつくか何本も試してみる……
それとも そいつには塩の紙袋なんか開けてナメてみるなんて好奇心はない?

おっと
うっ……
動いているッ!!

バシャア!
ドロッ
ドロドロ
い……今……「殻」の中がう………
まさか……… この家は全て爆弾で吹っ飛んだんだ……
……いいや ……だが 確かに今……
……………

ゴゴゴゴゴゴゴ
ゴゴゴゴゴゴ
ゴゴゴゴゴゴ
ゴゴ
な…
なんだってェェ〜〜〜〜〜ッ!!
バーッ

!!
……どういうことだ……
2コッ！台の上に置いたヤツッ！
ドドド
ドド
ま…まさかッ！
ペキ
ペキ
ペキッ
ペキ
ペキッ
……
ペキ
ペキ
ドドド
なんだ!? いったい!?
消えた!? …まさか割れないでどこかへころがったんだ……

!!
ペキ
ピキ ペキ
ピキ
ドドドド
ドドドド
ドドドドド
バカな――ッ!!

ドォーン
ペキ パキ
ペキ
ペキ
パキ
パ
なんなんだ!? !! この卵は——ッ!!
スパーン
ペキ
ペキ パキ

コロコロ
コロ
コロ
コロ
コロ
コロ
コン
コン
この「卵」は……!?
「何者」なんだッ!!!?
「生きている」のか!?
すでに幽霊なのに……!!
死んだ卵がなぜ動く…!?

か…『殻』が……………
まさかッ!!
生まれる?……
そんなバカな!!
「死んだ卵」が…
生長するというのか……
生長するのは生命だ……
幽霊は生長しない……
いったい
そんな宇宙の法則が
あるのか?
こいつは幽霊
なんかじゃあ
ないッ!!

カラン
コン!!
こ…
こいつは…
……!!
ドド
ドド
ヒュルルッ
ドド
ドド

ズッ

こ…こいつ
すでに
ポケットの中の
時にッ！
ドド
ドド
わたしの
腕がッ！
!!
ゾス
ゾス
ゾス
ゾスゾス
さわ
さわ
さわ
ゾスゾスゾスゾス

なにが生まれたんだァ——ッ!!
さわ
こ…この卵は!!?
…いったい…
さわ
さわ
さわ
ま……まずいッ!!
腕を登ってくるッ!!
……う 腕の中から!!

ガシィ
ザリザリザリ
ザザ
ザザ
チクバアアアアア！
!!
ドドド
チクヴァアアア
ウウウウウ
グググググ
バリ

うぐっ!!
うおおおおおあああ
あーーーッ
う…腕に……植物みたいなものが…………わ…わたしをなにかに変えようとしている……
チクパァッ!
わたしを内側から喰って……!!

ちょ……
直感だが…
わかりかけてきた
この「生まれたもの」は
『掃除屋』だ……
『掃除屋』は
どんな世界にでも
いる……
どこででも
必要なものだ…
……
「魂の掃除屋」……
この世が死人の魂で
あふれかえらないように
清掃する役目……
それがこいつらだ！
もうだめだ!!
捨てるしか
ないッッ!!
ギギギギ
ザ
バギ
このくそ
野郎がァァ
アァァ
アァ
てめ──
らぁぁ──ッ

「掃除」されたものは
どうなる？……
「あの世」へ行ける？
（そんなものがあるのか？）
ウキャアーッ
テーブルは
溶けるように
なって「虫」に
変化していたぞ……
わたしの腕もなにかに
変えられていた……
……これも
宇宙の法則なのか？
こいつらはどこから来たんだ？
うおおおおおおおおおお

チクァァ
グジュ
グバァァ
グジュ
グジュ
グジュ
この家は「卵の巣」だったんだッ……
「卵」に触れたから わたしを「掃除」しようとしているんだッ……
うおお
ギ
ギィ
やばいッ！どうするッ!!
さっき「何個」に触ったっけ？
3コ？ 4コ？
割らずに触れちまった「卵」は何個だっけ？

くそっ どこだッ!!
追いつかれちまうッ!!
どの「部屋」だッ!!
どこにあるんだッ!!?
この家のどこかの部屋に間違いはないんだッ!「夢二《ゆめじ》」の絵があったッ!!
「夢二の絵」が軍人といっしょに写真に写っていたんだッ!!

あぁ
うおぉぉ
おおお
おあああ

写真の部屋はここだ…
ドドド
ドドド
ドド

ダッ
ハァ
ハァ
ハァ
ハァ
ハァ
ハァ
う…うう……

ハァ
シューベルトの「白鳥の歌」
おいおいマジかよ……
なんてこった……
モーツァルトのピアノ協奏曲27番
レコードだぞ……こいつぁ……SP盤か……
あの部屋で……
夜を通してこれを聴けたのになあ…
わたしの名前は「吉良吉影《きらよしかげ》」……いつ…なぜ自分が死んだのかどうしても思い出せない……ひとつだけ言えることは自分は決して天国へは行けないだろうという実感があるだけだ……
これからどうするのかそれもわからない
ただ……永遠に時が続くというのなら……「仕事」を生きがいにしておけば「幸福」になれるかもしれない……

「標的《ターゲット》」は外出中だと？
あの女坊主《あま》……
この屋敷の「卵」のことを「知らずに」依頼したというのか？
それとも……
この近所で56人近くが「自殺」や「変死」していると言ったな……その数字 調べてみよう
もし！おまえの言ったことに「誤り」があれば…
覚悟するんだな……
聖人ぶりやがって……
あの世が本当にあるのかどうか自分で体験することになる……
しかしどうしたものか……「左腕」をとられたのはちと つらい……
あの女坊主のがかわりにくっつくかな……
それにしてもすてきな青空だ……今夜はどこで休むとするか……

Deadman's Questions
The End.

『デッドマンズQ』

（オールマン　99年12～14号掲載）

死んだあとも心の平和を願って、精神的に生長していこうとする主人公の行動を、スケッチ風に描いた作品。（作品タイプでA）　主人公のデッドマンは『ジョジョの奇妙な冒険　第4部』の最大の敵・吉良《きら》吉影《よしかげ》という、死んだ殺人鬼である。

死後の世界、もし魂が残っているのなら、それは何でもありの世界ではなく、この世と同じ『ルール』があるはずだ。幽霊も生きてる時と同じか、それ以上に苦労しなくてはおかしい……という発想で描いた。それにしても、好きな音楽を楽しめない彼を描いてて、何か涙が出て来た。

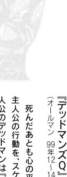

わたし
残酷ですわよ
戦いのメイクが彼女に
完璧のプロポーションと殺し屋の性格を与える！

くらわしてやらねば ならんッ！
然るべき報いを！
B.T.
ドジャーン

コミック文庫　既刊大好評発売中!!

秘密機関ドレスが創り出した最強兵器にして寄生生物、
それがバオー――!!
その実験体にされた心優しき橋沢育朗はドレスの隙をつき脱走。
暗殺者に襲われる中、育朗の中のバオーが覚醒する!!

集英社文庫〈コミック版〉
荒木飛呂彦の連載2作目
バオー来訪者

バルバルバルバル!
バルバルバルバル
究極生命体誕生ウウウッ!!
ウォオオオオオ

集英社文庫（コミック版）

死刑執行中脱獄進行中

2011年 9月21日　第1刷
2021年 3月7日　第24刷

定価はカバーに表示してあります。

著　者　荒《あら》木《き》飛《ひ》呂《ろ》彦《ひこ》

発行者　北　畠　輝　幸

発行所　株式会社　集　英　社
東京都千代田区一ツ橋2－5－10
〒101-8050
電話【編集部】03（3230）6251
【読者係】03（3230）6080
【販売部】03（3230）6393（書店専用）

印　刷　凸版印刷株式会社

表紙フォーマットデザイン　アリヤマデザインストア　マークデザイン　居山浩二

ISBN978-4-08-619277-4　C0179